#영어는매일매일
#하루6쪽20일완성
#수능준비스타트
#영어기초하루시리즈

교재 제작에 도움을 주신 선생님들

강수빈 강인영 고윤재 권다래 권익재 권지나 김나윤 김동현 김미연 김민정 김서경
김선식 김소영 김 솔 김영아 김영연 김용규 김유미 김은진 김주현 김지현 김철훈
나경재 남경희 남영종 류화숙 문상헌 문장엽 문준호 박고은 박다은 박상범 박성진
박영심 박정선 박종근 박혜연 박희진 송시환 신은주 신종일 오근혜 오문환 오현숙
오희정 윤경애 윤유리 윤인영 윤 진 윤현미 이고은 이명순 이명희 이선미 이소민
이수정 이승욱 이은미 이은미 이은비 이정선 이지훈 이한주 이현선 임안식 임형주
정도영 정미란 정민재 정성식 정수옥 정원희 정활상 조민재 조성정 조소을 조치환
조태희 조혜정 주영란 지영주 차효순 채상우 채지영 최성원 최수남 최한검 최현진
최혜경 허미영 허정욱 홍영주 홍진영 황규태

Chunjae
Makes
Chunjae

편집개발 김미혜, 김희윤, 신현겸
디자인총괄 김희정
표지디자인 윤순미, 김지현
내지디자인 박희춘, 이혜진
제작 황성진, 조규영

발행일 2020년 12월 1일 초판 2020년 12월 1일 1쇄
발행인 (주)천재교육
주소 서울시 금천구 가산로9길 54
신고번호 제2001-000018호
고객센터 1577-0902
교재 내용문의 (02)3282-8870

※ 정답 분실 시에는 천재교육 홈페이지에서 내려받으세요.

시 작 은

하루 수능

이 책의 **구성과 특징**

어휘와 어법은 영어 학습의 밑바탕이 됩니다.

수능 영어를 준비할 때에도 마찬가지죠. 특히 수능 기출 어휘와 어법 문제의 제출 경향을 꼭 알아두어야 합니다. 하루 수능 영어 어휘·어법 편으로 미리 준비하세요.

이번 주에는 무엇을 공부할까? ❶, ❷

❶에서는 만화를 통해 한 주 동안 학습할 어휘의 성격을 알아봅니다. ❷에서는 한 주 동안 학습할 어법 사항을 미리 보기하고 간단한 문제를 통해 워밍업합니다.

개념 원리 확인 ❶, ❷

❶ Words from the Tests에서는 그림과 함께 어휘를 학습한 뒤, 예문을 통해 확인합니다. ❷ Grammar from the Tests에서는 만화로 예문을 익히며 어법을 재미있게 학습한 뒤, 간단한 어법 문제를 풀어봅니다.

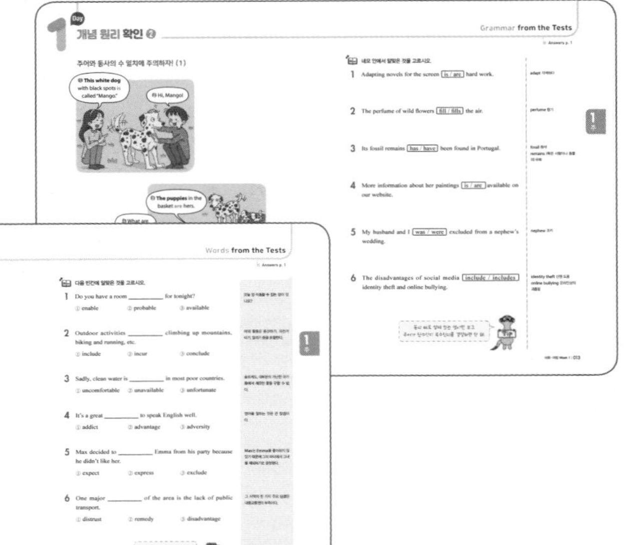

3 기초 유형 연습

기출 지문을 응용한 짧은 단락을 통해 앞서 배운 어휘와 어법을 잘 이해했는지 확인합니다.

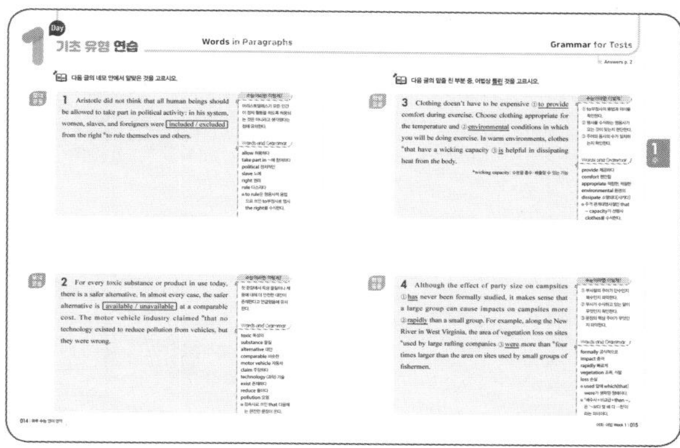

4 누구나 100점 테스트

연합학력평가, 모의평가, 수능에서 엄선한 지문으로 실전을 대비하는 문제를 풀어 볼 수 있습니다.

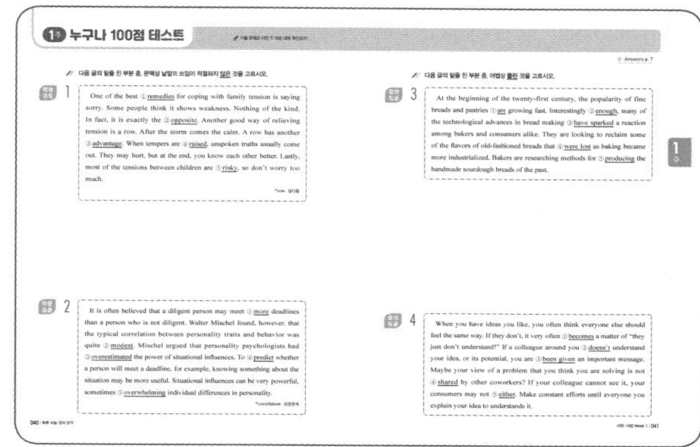

5 창의 · 융합 · 사고력

재미있는 문제를 통해 한 주 동안 배운 내용을 정리하며 복습합니다. 만화와 퍼즐로 어휘를 복습하고 어법 문제도 게임처럼 풀어 볼 수 있어요.

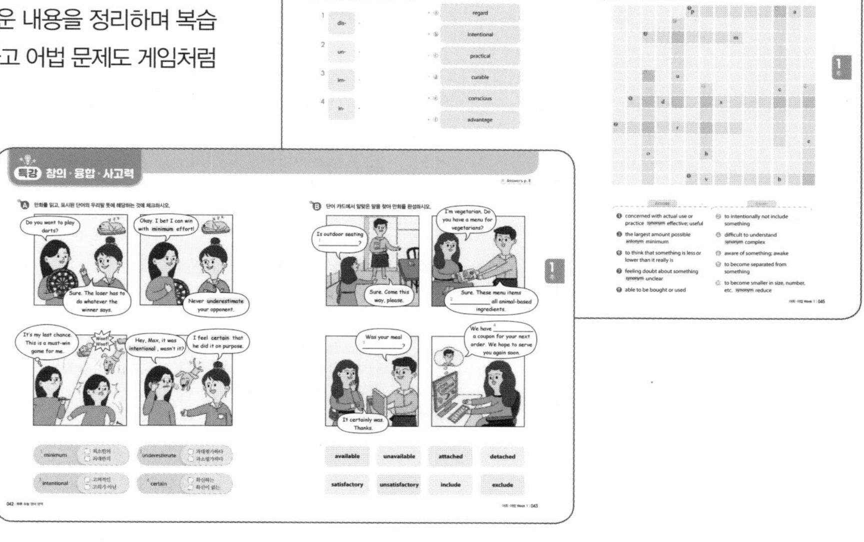

이 책의 **차례**

하루 수능 영어 어휘·어법 편 차례를 확인하세요!

Week

Week

Contents

Week

Week

Week 1

이번 주에는 무엇을 공부할까? ①

// 만화를 보며 단어의 뜻을 연결해 보세요.

1

강아지를 기르는 것의 가장 큰 advantage 는 정서적 안정감과 행복감이야.

강아지를 기르는 것의 가장 큰 disadvantage 는 시간과 노력이 많이 든다는 것이야.

① advantage ·		· 단점
② disadvantage ·		· 장점

2

요즘 내 블로그 방문자 수가 decrease 하고 있어서 고민이야.

Blog

방문자 수를 increase 하기 위해 재밌는 영상을 찍어서 올리는 게 어때?

① decrease ·		· 줄(이)다, 감소하다
② increase ·		· 늘(리)다, 증가하다

어휘

이번 주에는 dis-, un-, in- 등의 접두사를 이용한 반의어를 공부해 봅시다.

• Answers p. 1

3

❶ complicated •		• 복잡한
❷ uncomplicated •		• 단순한

4

❶ impractical •		• 실용적인
❷ practical •		• 비실용적인

Week 1

이번 주에는 무엇을 공부할까? ②

이번 주에는 주어와 동사의 관계를 공부합니다.

POINT 1 문장에는 주어와 동사가 각각 하나씩이며 주어와 동사는 수를 일치시켜야 해요. 즉, 단수 주어는 단수 동사와 함께 쓰고, 복수 주어는 복수 동사와 함께 써야 하지요.

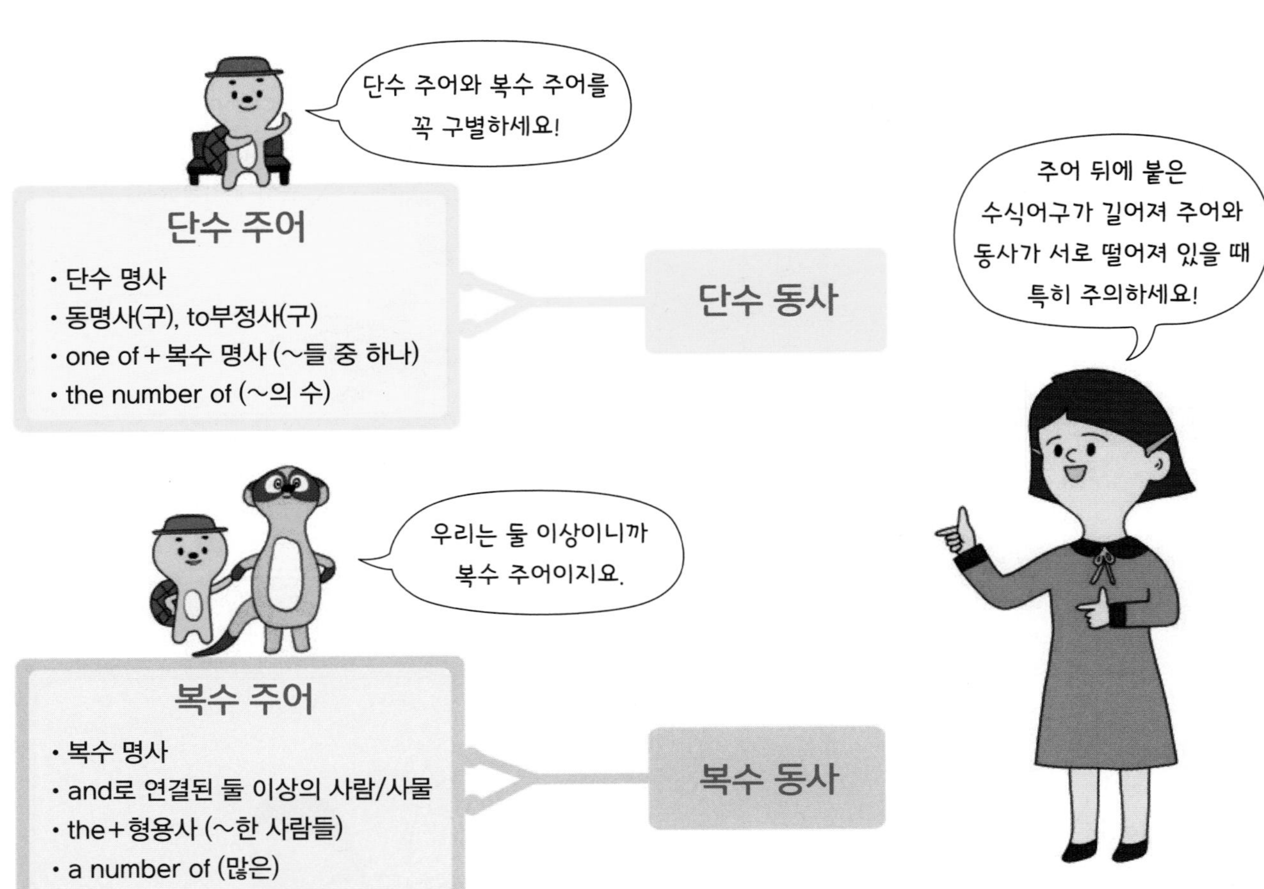

단수 주어와 복수 주어를 꼭 구별하세요!
단수 주어
• 단수 명사
• 동명사(구), to부정사(구)
• one of + 복수 명사 (~들 중 하나)
• the number of (~의 수)
단수 동사
주어 뒤에 붙은 수식어구가 길어져 주어와 동사가 서로 떨어져 있을 때 특히 주의하세요!
우리는 둘 이상이니까 복수 주어이지요.
복수 주어
• 복수 명사
• and로 연결된 둘 이상의 사람/사물
• the + 형용사 (~한 사람들)
• a number of (많은)
복수 동사

• Answers p. 1

간단 체크 1 밑줄 친 부분이 어법상 맞으면 T에, 틀리면 F에 체크하세요.

	T	F
(1) One of them <u>have</u> blond hair.	☐	☐
(2) Making good friends <u>is</u> important.	☐	☐
(3) The poor <u>needs</u> our help and support.	☐	☐
(4) A hurricane <u>hitting</u> the town yesterday.	☐	☐

POINT 2 주어가 직접 어떤 동작을 하는 것이 아니라 그 행위를 당하는 경우에는 수동태로 써야 해요.
수동태 문장의 기본 형태는 「주어+be동사+과거분사(+by+행위자)」예요.

수동태의 여러 가지 형태를
알아두세요.

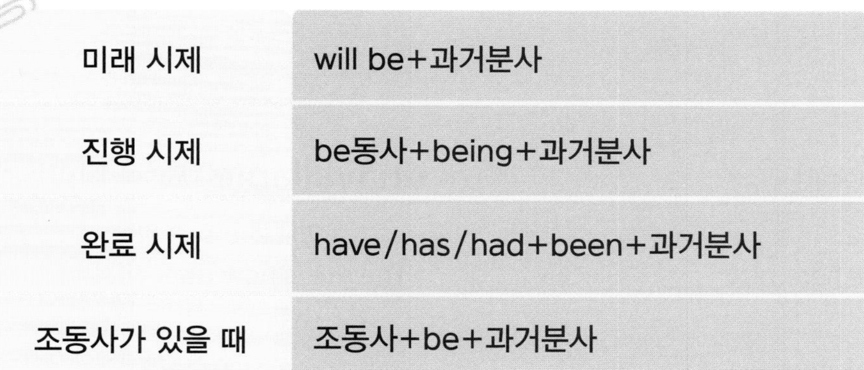

미래 시제	will be+과거분사
진행 시제	be동사+being+과거분사
완료 시제	have/has/had+been+과거분사
조동사가 있을 때	조동사+be+과거분사

• Answers p. 1

간단 체크 **2** 밑줄 친 부분이 어법상 맞으면 T에, 틀리면 F에 체크하세요.

	T	F
(1) I was attacked by a stranger.	☐	☐
(2) The bag was stole then.	☐	☐
(3) Most of the money was donating.	☐	☐
(4) The hotel can seen from the beach.	☐	☐

개념 원리 확인 ❶

// 그림을 보며 단어의 뜻을 익혀 보세요.

include [inklúːd]

v. 포함하다

The meal **includes** a beverage.

식사는 음료를 포함한다.

exclude [ikksklúːd]

v. 제외[배제]하다

exclude from the shopping list

쇼핑 목록에서 제외하다

available [əvéiləbəl]

a. 이용할[구할] 수 있는

Free wi-fi is **available** here.

여기서 무료 와이파이 이용이 가능하다.

unavailable [ʌ̀nəvéiləbəl]

a. 이용할[구할] 수 없는

The site is now **unavailable.**

그 사이트는 현재 이용할 수 없다.

advantage [ədvǽntidʒ]

n. 장점, 이점, 유리한 점

an **advantage** of a long neck

긴 목의 장점

disadvantage [dìsədvǽntidʒ]

n. 단점, 약점, 불리한 점

a **disadvantage** of having short legs

짧은 다리를 가진 것의 단점

Words from the Tests

Answers p. 1

다음 빈칸에 알맞은 것을 고르시오.

1 Do you have a room ___________ for tonight?

① enable ② probable ③ available

오늘 밤 **이용할 수 있는** 방이 있나요?

2 Outdoor activities ___________ climbing up mountains, biking and running, etc.

① include ② incur ③ conclude

야외 활동은 등산하기, 자전거 타기, 달리기 등을 **포함한다**.

3 Sadly, clean water is ___________ in most poor countries.

① uncomfortable ② unavailable ③ unfortunate

슬프게도, 대부분의 가난한 국가들에서 깨끗한 물을 **구할 수 없**다.

4 It's a great ___________ to speak English well.

① addict ② advantage ③ adversity

영어를 잘하는 것은 큰 **장점**이다.

5 Max decided to ___________ Emma from his party because he didn't like her.

① expect ② express ③ exclude

Max는 Emma를 좋아하지 않았기 때문에 그의 파티에서 그녀를 **제외하**기로 결정했다.

6 One major ___________ of the area is the lack of public transport.

① distrust ② remedy ③ disadvantage

그 지역의 한 가지 주요 **단점**은 대중교통편의 부족이다.

Tip

접두사 un-과 dis-는
반대나 부정의 뜻을 나타내.

개념 원리 확인 ❷

주어와 동사의 수 일치에 주의하자! (1)

❶ 검은 반점이 있는 이 하얀 개는 '망고'라고 해. ❷ 안녕, 망고! ❸ 바구니 안의 강아지들은 망고의 새끼들이야.
❹ 그것들의 이름은 뭐니? ❺ 그들은 아직 이름이 없어. ❻ 강아지의 이름을 짓는 것은 쉽지 않아.

하루 어법

- 단수 주어는 단수 동사와 함께 쓰고, 복수 주어는 복수 동사와 함께 써야 한다.
- **단수 명사**, **one**, **each**, **every**, **동명사(구)와 to부정사(구)** 등은 **단수 동사**와 함께 쓴다.
- **복수 명사**, **and로 연결된 둘 이상의 사람/사물**은 **복수 동사**와 함께 쓴다.
- 주어가 수식어구와 함께 쓰여 길어질 때 수 일치에 주의해야 한다.

Answers p. 1

네모 안에서 알맞은 것을 고르시오.

1 Adapting novels for the screen [is / are] hard work.

adapt 각색하다

2 The perfume of wild flowers [fill / fills] the air.

perfume 향기

3 Its fossil remains [has / have] been found in Portugal.

fossil 화석
remains (죽은 사람이나 동물의) 유해

4 More information about her paintings [is / are] available on our website.

5 My husband and I [was / were] excluded from a nephew's wedding.

nephew 조카

6 The disadvantages of social media [include / includes] identity theft and online bullying.

identity theft 신원 도용
online bullying 온라인상의 괴롭힘

동사 바로 앞에 있는 명사만 보고
주어가 단수인지 복수인지를 결정하면 안 돼.

기초 유형 연습

다음 글의 네모 안에서 알맞은 것을 고르시오.

모의 응용

1 Aristotle did not think that all human beings should be allowed to take part in political activity: in his system, women, slaves, and foreigners were [included / excluded] from the right •to rule themselves and others.

수능이라면 이렇게!

아리스토텔레스가 모든 인간이 정치 활동을 하도록 허용되는 것은 아니라고 생각했다는 점에 유의한다.

Words and Grammar

allow 허용하다
take part in ~에 참여하다
political 정치적인
slave 노예
right 권리
rule 다스리다
● to rule은 형용사적 용법으로 쓰인 to부정사로 명사 the right를 수식한다.

모의 응용

2 For every toxic substance or product in use today, there is a safer alternative. In almost every case, the safer alternative is [available / unavailable] at a comparable cost. The motor vehicle industry claimed •that no technology existed to reduce pollution from vehicles, but they were wrong.

수능이라면 이렇게!

첫 문장에서 독성 물질이나 제품에 대해 더 안전한 대안이 존재한다고 언급했음에 유의한다.

Words and Grammar

toxic 독성의
substance 물질
alternative 대안
comparable 비슷한
motor vehicle 자동차
claim 주장하다
technology (과학) 기술
exist 존재하다
reduce 줄이다
pollution 오염
● 접속사로 쓰인 that 다음에는 완전한 문장이 온다.

Answers p. 2

다음 글의 밑줄 친 부분 중, 어법상 틀린 것을 고르시오.

학평 응용

3 Clothing doesn't have to be expensive ① to provide comfort during exercise. Choose clothing appropriate for the temperature and ② environmental conditions in which you will be doing exercise. In warm environments, clothes •that have a wicking capacity ③ is helpful in dissipating heat from the body.

*wicking capacity: 수분을 흡수·배출할 수 있는 기능

수능이라면 이렇게!

① to부정사의 용법과 의미를 확인한다.
② 명사를 수식하는 형용사가 오는 것이 맞는지 판단한다.
③ 주어와 동사의 수가 일치하는지 확인한다.

Words and Grammar

provide 제공하다
comfort 편안함
appropriate 적합한, 적절한
environmental 환경의
dissipate 소멸되다[시키다]
● 주격 관계대명사절인 that ~ capacity가 선행사 clothes를 수식한다.

4 Although the effect of party size on campsites ① has never been formally studied, it makes sense that a large group can cause impacts on campsites more ② rapidly than a small group. For example, along the New River in West Virginia, the area of vegetation loss on sites •used by large rafting companies ③ were more than •four times larger than the area on sites used by small groups of fishermen.

수능이라면 이렇게!

① 부사절의 주어가 단수인지 복수인지 파악한다.
② 부사가 수식하고 있는 말이 무엇인지 확인한다.
③ 문장의 핵심 주어가 무엇인지 파악한다.

Words and Grammar

formally 공식적으로
impact 충격
rapidly 빠르게
vegetation 초목, 식물
loss 손실
● used 앞에 which[that] were가 생략된 형태이다.
● 「배수사+비교급+than ~」은 '~보다 몇 배 더 …한'이라는 의미이다.

1주

2 Day 개념 원리 확인 ❶

// 그림을 보며 단어의 뜻을 익혀 보세요.

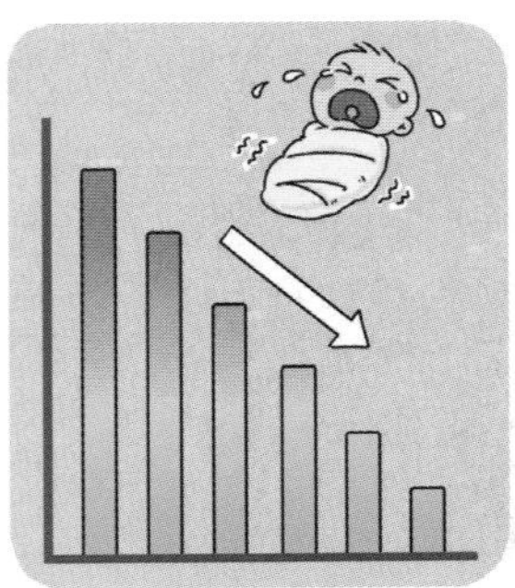

decrease *v.* [dikríːs] *n.* [díːkriːs]

v. 줄(이)다, 감소하다[시키다] *n.* 감소

The number of newborn babies is **decreasing.**

신생아의 수가 감소하고 있다.

increase *v.* [inkríːs] *n.* [ínkriːs]

v. 늘(리)다, 증가하다[시키다] *n.* 증가

The number of elderly people is **increasing.**

노인의 수가 증가하고 있다.

curable [kjúərəbəl]

a. 치유 가능한

The flu is **curable.**

독감은 치료가 가능하다.

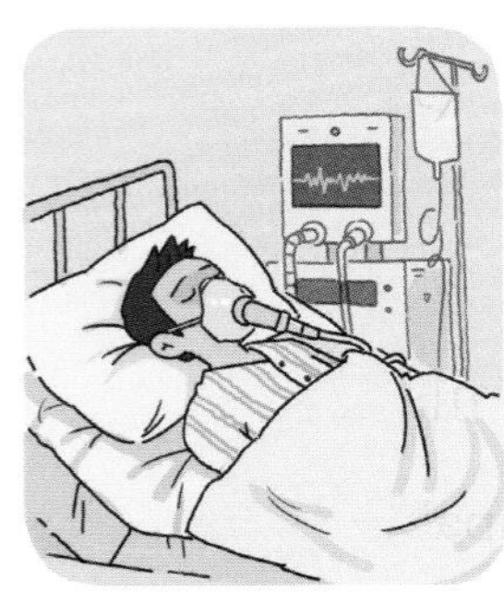

incurable [inkjúərəbəl]

a. 치유가 불가능한, 불치의

suffer from an **incurable** disease

불치병으로 인해 고통을 받다

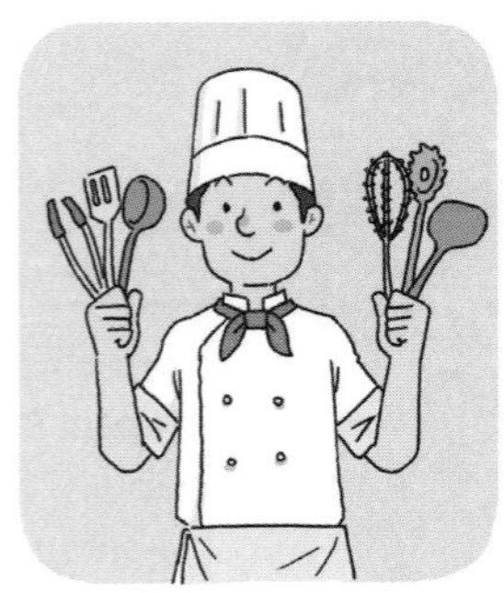

practical [prǽktikəl]

a. 실용적인, 현실적인

practical cooking utensils

실용적인 조리기구들

impractical [imprǽktikəl]

a. 비실용적인, 비현실적인

impractical shoes for climbing

등산하기에 비실용적인 신발

Answers p. 2

다음 빈칸에 알맞은 것을 고르시오.

1 Eric's lung cancer is unfortunately ___________.

① individual ② incurable ③ inexpensive

Eric의 폐암은 불행하게도 **치유가 불가능하다**.

2 The population ___________ from 3.7 million in 2000 to 9.7 million in 2020.

① decreased ② included ③ increased

인구가 2000년에 370만 명에서 2020년에 970만 명으로 **증가했다**.

3 If people are more careful, the number of accidents will ___________.

① raise ② decrease ③ increase

만약 사람들이 더 주의한다면, 사고의 수는 **줄어들** 것이다.

4 If an illness is ___________, it can be cured.

① capable ② curable ③ unbelievable

만약 병이 **치유 가능하다**면 그것은 치유될 수 있다는 뜻이다.

5 Everyone is against his plan because it sounds stupid and ___________.

① improve ② possible ③ impractical

그의 계획은 어리석고 **비현실적으로** 들려서 모두들 그것에 반대한다.

6 I recommend this book that offers ___________ advice on running your own business.

① practical ② risky ③ useless

나는 자신의 사업을 운영하는 것에 대한 **실용적인** 충고를 제공하는 이 책을 추천한다.

de-는 '아래로(down)'라는 의미를 나타내는 접두사이고,
in-은 '안에, 안으로' 또는 '부정'의 의미를 나타내는 접두사야.

Tip

1주

주어와 동사의 수 일치에 주의하자! (2)

❶ 많은 소녀들이 내게 반해 있어. ❷ 나를 몰래 짝사랑하는 추종자들의 수는 증가하고 있어.
❸ 내 생각에 우리 둘 중 하나는 상황을 오해하고 있는 것 같아. ❹ 젊은이들은 그들이 믿고 싶은 것을 믿기 마련이지.

하루 어법

- **a number of**(많은)는 **복수** 취급하고, **the number of**(~의 수)는 **단수** 취급한다.
- 「**one of+복수 명사**」는 '~들 중 하나'라는 의미로 **단수** 취급한다.
- 「**the+형용사**」는 '~한 사람들'이라는 의미로 **복수** 취급한다.
- 「**all**, **some**, **most**, **the rest**, **분수**, **퍼센트+of**」 다음에 단수 명사가 오면 단수 취급하고 복수 명사가 오면 복수 취급한다.

Answers p. 2

네모 안에서 알맞은 것을 고르시오.

1 Some of the food [tastes / taste] salty and spicy.

salty 짠, 짭짤한
spicy 매운

2 The number of endangered species [is / are] increasing.

endangered 멸종 위기의
species 종(생물 분류의 기본 단위)

3 Most of the cancers [is / are] curable if they are detected at early stages.

cancer 암
detect 발견하다

4 One of the most practical ways to reduce the spread of viruses [is / are] to wash your hands.

reduce 줄이다
spread 확산, 전파

5 They have no memories of what the aged once [was / were].

the aged 노인

6 A number of students in our class [has / have] volunteered to help patients with incurable diseases.

volunteer 자원봉사를 하다
disease 질병

a number of는 복수 취급하고
the number of는 단수 취급해.

Day 2 기초 유형 연습

Words in Paragraphs

다음 글의 밑줄 친 부분 중, 문맥상 낱말의 쓰임이 적절하지 않은 것을 고르시오.

모의 응용

1 When a doctor pronounces a patient ① curable, he will not ② obey his fate but runs to the nearest quack •who holds out hope of recovery. His urge for self-preservation will not ③ down.

*quack: 돌팔이 의사

수능이라면 이렇게!

환자가 회복의 기대를 주는 돌팔이 의사에게 달려가는 상황은 어떤 선고를 받았을 때 발생하는지 생각해 본다.

Words and Grammar

pronounce 선고하다
obey 따르다, 순응하다
fate 운명
hold out (가능성을) 보이다
recovery 회복
urge 욕구, 열망
self-preservation 자기 보호

● 선행사(the nearest quack)가 사람이므로 주격 관계대명사는 who 또는 that을 쓴다.

학평 응용

2 The domestic duck, a common bird of Southeast Asia, is one of the main ① carriers of the H5N1 avian influenza. Scientists use satellite images •to ② map agricultural patterns in the region. These maps show where the number of the ducks is most likely to ③ decrease and thus where the avian influenza is most likely to spread.

*avian influenza: 조류독감

수능이라면 이렇게!

집오리와 조류독감의 상관관계에 대해 이해할 수 있어야 한다.

Words and Grammar

domestic (동물이) 사육되는; 가정(용)의
common 흔한
carrier 매개체, 보균자
satellite 인공위성
map ~에 대한 지도를 작성하다
agricultural 농업의
region 지역
be likely to ~할 가능성이 있다
spread 확산되다

● to부정사가 목적을 나타내는 부사적 용법으로 쓰였다.

Answers p. 3

다음 글의 밑줄 친 부분 중, 어법상 틀린 것을 고르시오.

3 As technology and the Internet are a familiar resource for young people, it is logical ① <u>that</u> they would seek help from this source. This •has been shown by the increase in websites that ② <u>provide</u> therapeutic information for young people. A number of 'youth friendly' mental health websites ③ <u>has</u> been developed.

수능이라면 이렇게!

① 접속사 that의 쓰임이 맞는지 판단한다.
② 선행사의 수와 일치하는지 확인한다.
③ 주어가 a number of로 시작함에 유의한다.

Words and Grammar

familiar 친숙한
resource 수단
logical 논리적인
seek 구하다, 찾다
therapeutic 치료상의
mental 정신적인
develop 개발하다
● 현재완료 수동태는 「have[has]+been+과거분사」로 나타낸다.

4 One of the most effective ways to build empathy in children ① <u>are</u> to let them play more on their own. Unsupervised kids are not reluctant to tell one another •how they feel. In addition, children at play often take on other roles, ② <u>pretending</u> to be Principal Walsh or Josh's mom, happily forcing ③ <u>themselves</u> to imagine how someone else thinks and feels.

*empathy: 공감, 감정 이입

수능이라면 이렇게!

① 「one of+복수 명사」가 주어임에 유의한다.
② 분사구문이 나타내는 의미를 확인한다.
③ forcing의 의미상 주어와 목적어가 동일한지 판단한다.

Words and Grammar

effective 효과적인
unsupervised 감독을 받지 않는
reluctant 주저하는, 꺼리는
take on 맡다
pretend ~인 척하다
force ~하게 만들다
● how로 시작하는 명사절이 동사 tell의 목적어 역할을 한다.

1주

Day 3 개념 원리 확인 ❶

// 그림을 보며 단어의 뜻을 익혀 보세요.

intentional [inténʃənəl]

a. 고의적인

make an **intentional** foul 고의적인 반칙을 하다

unintentional [ʌ̀ninténʃənəl]

a. 고의가 아닌, 무심코 한

an **unintentional** mistake 고의가 아닌 실수

regard [rigɑ́ːrd]

v. ❶ (~을 …로) 여기다 ❷ …을 보다 *n.* 관심, 고려

regard someone as a good person
누군가를 좋은 사람으로 여기다

disregard [dìsrigɑ́ːrd]

v. 무시하다

disregard someone's advice
누군가의 충고를 무시하다

minimum [mínəməm]

a. 최저의, 최소의 *n.* 최소

㉣ minimize *v.* 최소화하다

the **minimum** speed of a car 차의 최저 속도

maximum [mǽksəməm]

a. 최고의, 최대의 *n.* 최대

㉣ maximize *v.* 극대화하다

the **maximum** speed of a car 차의 최대 속도

Answers p. 4

다음 빈칸에 알맞은 것을 고르시오.

1 In Austria, the ___________ age to vote is 16.

① modest ② opposite ③ minimum

오스트리아에서 투표를 할 수 있는 **최소한의** 나이는 16살이다.

2 I'd like to know how to get the ___________ benefit from my investment.

① low ② maximum ③ maximize

나는 투자에서 **최대한의** 이익을 얻는 방법을 알고 싶다.

3 Her teachers ___________ her as the smartest of their students.

① regret ② regard ③ reject

그녀의 선생님들은 그녀를 학생들 중 가장 똑똑하다고 **여긴다.**

4 I was upset because he totally ___________ my warnings.

① discussed ② disregarded ③ disappeared

나는 그가 내 경고를 완전히 **무시했**기 때문에 화가 났다.

5 Tell me. Did you push the open button by accident or was it ___________?

① internal ② accidental ③ intentional

말해 봐. 너는 실수로 '열림' 버튼을 누른 거니, 아니면 **고의적인** 거였니?

6 Mark hurt his friend's feelings, but it was ___________. He didn't mean to hurt her.

① unlike ② unsatisfying ③ unintentional

Mark는 그의 친구의 감정을 상하게 했지만, 그건 **고의가 아니**었다. 그는 그녀의 감정을 상하게 할 의도는 없었다.

min-은 '최소'를 뜻하고
max-는 '최대'를 뜻하는 접두사야.

Tip

개념 원리 확인 ❷

본동사와 준동사를 구분하자!

❶ 그것들 모두 사는 것은 좋은 생각이 아니야. ❷ 수학 시험에서 좋은 성적을 받는 것은 네가 얼마나 많은 문제를 푸느냐에 달려 있어.
❸ 나를 포함한 똑똑한 학생들은 공부하기 전에 항상 책상을 정리하지. ❹ 난 네가 책상을 정리한 후에 절대 공부하지 않는다는 것을 알아.

하루 어법

- **본동사**는 문장의 **주요 동사**이며, 한 문장에 **주어와 본동사는 각각 하나씩**이다.
- 두 개 이상의 본동사를 쓰려면 **접속사**가 필요하다.
- 준동사는 동사의 성질은 그대로 유지하나, 동사의 역할을 하지는 않는다.
- **준동사**에는 **to부정사**, **원형 부정사**, **분사**, **동명사** 등이 있다.

Answers p. 4

네모 안에서 알맞은 것을 고르시오.

1 In one study, [consume / consuming] two to three kiwis daily for 28 days reduced cholesterol levels.

consume 먹다, 섭취하다
reduce 줄이다

2 William Smith [left / leaving] school at 14 as his family was unable to pay the school fees.

be unable to ~할 수 없다
school fee 수업료, 학비

3 Danny, as well as Owen, [realized / to realize] that her actions were intentional.

A as well as *B* B뿐만 아니라 A도
realize 깨닫다

4 He just kept swimming, [disregarded / disregarding] her advice.

5 The maximum sentence on each charge [is / to be] five years in prison.

sentence 형벌, 선고
charge 혐의
prison 감옥

6 We've done everything we can [contain / to contain] costs without damaging quality.

contain 억제하다, 제한하다
damage 훼손하다, 손상시키다
quality 질

문장의 주어와 본동사를 찾고
접속사가 있는지 꼭 확인하자.

다음 글의 네모 안에서 알맞은 것을 고르시오.

1 Rental rates usually do not drop below a certain point, the [maximum / minimum] that must be charged in order to cover operating expenses. Some owners will take space off the market •rather than lose money on it.

수능이라면 이렇게!

임대료가 어떤 지점 밑으로 '떨어지지 않는다'라고 한 것에 유의한다.

Words and Grammar

rental rate 임대료
below (양·수준이) ~ 아래에
charge (요금을) 청구하다
operating expense 운영 비용
take off the market 시장에서 거둬들이다, 회수하다
● *A* rather than *B*는 'B보다는 (차라리) A'라는 의미이다.

2 Sometimes the giving is [intentional / unintentional]. You give information to Google when you have a public website, •whether you intend to or not. Also, you give aluminum cans to the homeless guy who collects them from the recycling bin, even if that is not •what you meant to do.

수능이라면 이렇게!

이어지는 예시에서 whether ~ or not의 의미를 파악해야 한다.

Words and Grammar

intend to ~할 의도이다
homeless 집이 없는
recycling bin 재활용 쓰레기통
● whether는 양보의 부사절을 이끌며 '~이든 아니든'이라는 의미이다.
● what은 명사절을 이끄는 관계대명사로 '~하는 것'이라는 의미이다.

Answers p. 4

다음 글의 밑줄 친 부분 중, 어법상 틀린 것을 고르시오.

3 In Salvador, Brazil, musician Carlinhos Brown ① established several music and culture centers in formerly dangerous neighborhoods. In Candeal, •where Brown was born, local kids were encouraged to join drum groups, sing, and stage performances. The kids, ② energized by these activities, ③ beginning to turn away from dealing drugs.

수능이라면 이렇게!

① 문장의 주어와 본동사를 확인한다.
② 과거분사구가 수식하는 말을 찾는다.
③ 명사 역할을 하는 동명사나 형용사 또는 보어로 쓰이는 현재분사가 필요한 자리인지 판단한다.

Words and Grammar

establish 세우다, 설립하다
formerly 이전에
energize 열정을 돋우다
turn away from ~에서 손을 떼다
● Candeal은 장소의 선행사이므로 관계부사 where가 온다.

4 Don't wash the broccoli before storing it since moisture on its surface ① to encourage the growth of mold. However, like most vegetables, it is at its best condition when used within a day or two after the purchase. ② Preparing broccoli is extremely easy, so all you have to do ③ is boil it in water just •until it is tender.

수능이라면 이렇게!

① since가 이유의 접속사로 쓰였음에 유의한다.
② 문장의 주어 자리에 동명사가 바르게 쓰였는지 판단한다.
③ 문장의 주어와 본동사를 확인한다.

Words and Grammar

store 저장하다
moisture 수분, 습기
surface 표면
mold 곰팡이
purchase 구매; 구매하다
extremely 대단히
tender 부드러운
● 시간을 나타내는 부사절에서는 현재 시제가 미래를 대신한다.

1주

Day 4 개념 원리 확인 ①

// 그림을 보며 단어의 뜻을 익혀 보세요.

overestimate [òuvəréstəmeit]

v. 과대평가하다

overestimate oneself
자신을 과대평가하다

underestimate [ʌ̀ndəréstəmeit]

v. 과소평가하다

underestimate the size of an iceberg
빙하의 크기를 과소평가하다

conscious [kɑ́:nʃəs]

a. ❶ 의식이 있는 ❷ 의식하는, 자각하는

Snow White was fully **conscious.**
백설공주는 완전히 의식이 있었다.

unconscious [ʌnkɑ́:nʃəs]

a. ❶ 의식을 잃은, 의식이 없는 ❷ ~을 깨닫지 못하는

Snow White became **unconscious.**
백설공주는 의식을 잃었다.

satisfactory [sæ̀tisfǽktəri]

a. 만족스러운

a **satisfactory** movie 만족스러운 영화

unsatisfactory [ʌnsæ̀tisfǽktəri]

a. 만족스럽지 못한

unsatisfactory test results 만족스럽지 못한 성적

Answers p. 5

다음 빈칸에 알맞은 것을 고르시오.

1 Many people ___________ their swimming ability, which causes an accident.

① overwhelm ② overeat ③ overestimate

많은 사람은 그들의 수영 실력을 **과대평가하**는데, 이것은 사고를 유발한다.

2 You will get paid only if your work is ___________.

① messy ② unnecessary ③ satisfactory

당신의 일이 **만족스러울** 때에만 보수를 받을 것이다.

3 I became ___________ that someone was watching me in the dark.

① conscious ② consider ③ conditional

나는 누군가가 어둠 속에서 나를 보고 있다는 것을 **의식하게** 되었다.

4 The consumer complained about the ___________ products.

① comfortable ② unsatisfactory ③ surrounding

그 고객은 **불만족스러운** 제품들에 대해 불평했다.

5 The patient was ___________ for three days after the accident.

① unable ② unlikely ③ unconscious

그 환자는 사고 후에 3일 동안 **의식이 없**었다.

6 Don't ___________ yourself. You are capable of more than you can imagine.

① underestimate ② underline ③ underneath

네 자신을 **과소평가하**지 마라. 너는 네가 상상할 수 있는 이상으로 더 많은 것을 할 수 있다.

over-는 '지나치게'라는 의미이고, under-는 '아래에(= below, beneath)'라는 의미의 접두사야.

TIP

Day 4 개념 원리 확인 ❷

현재완료와 과거완료를 정확히 구분하자!

❶ 나는 몇 년 동안 일기를 계속 써 오고 있어. ❷ 그것은 나의 좋은 기억들을 다시 불러일으키지. ❸ 내가 학교에 갔을 때 수업이 이미 시작되어 있었다. ❹ 자리에 앉은 후에, 나는 내가 책가방을 가져오는 것을 깜빡 잊었다는 것을 깨달았다. ❺ 오, 이건 좋은 기억이 아니구나.

하루 어법

- **현재완료**는 「**have[has]+과거분사**」의 형태로, 과거의 일이 현재까지 영향을 줄 때 사용한다.
- **과거완료**는 「**had+과거분사**」의 형태로, 과거의 특정 시점보다 더 이전에 일어난 일을 나타낸다.
- 현재완료의 진행형은 「**have[has] been+현재분사**」이고, 과거완료의 진행형은 「**had been+현재분사**」이다.

Answers p. 5

네모 안에서 알맞은 것을 고르시오.

1 Mr. Anderson [is / has] been unconscious since yesterday.

2 I was conscious that I [have / had] made a stupid mistake.

make a mistake 실수를 저지르다
stupid 어리석은

3 Over the years, I [am / have] frequently counseled people who wanted better jobs.

frequently 자주
counsel 상담하다

4 Their marriage [has / had] been satisfactory before the war broke out.

marriage 결혼 (생활)
break out (전쟁 등이) 일어나다

5 The country has [underestimated / underestimating] the risk of a tsunami.

risk 위험

6 He [has written / had been writing] his chemistry report when I got home.

chemistry 화학

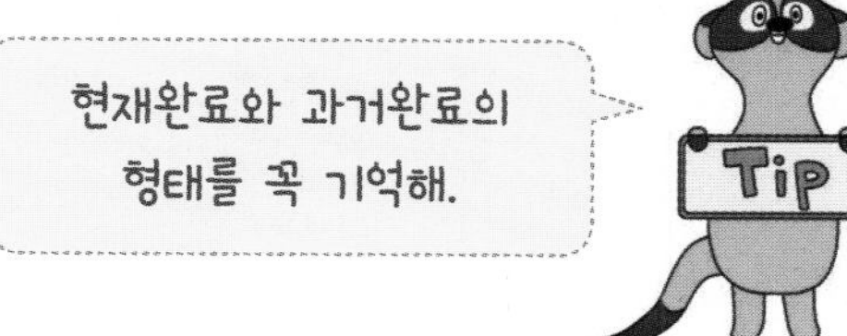

현재완료와 과거완료의
형태를 꼭 기억해.
Tip

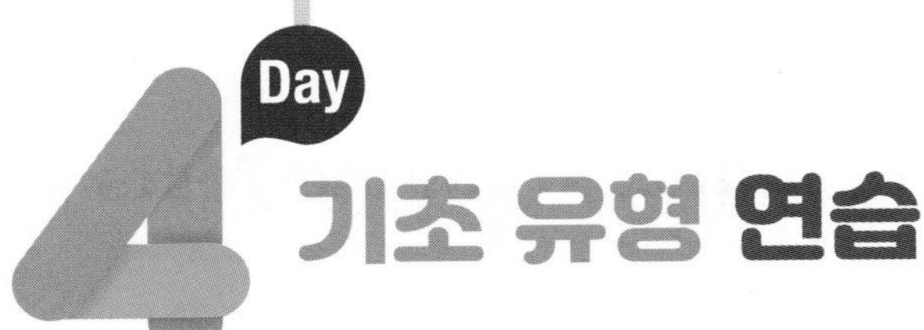

다음 글의 네모 안에서 알맞은 것을 고르시오.

1 The great awakening of Greek art to freedom took place between 520 and 420 B.C. Toward the end of the fifth century, artists became fully [conscious / unconscious] of their power and mastery, and ●so did the public. An increasing number of people began to be interested in their work for its own sake.

수능이라면 이렇게!

더 많은 사람이 예술 작품에 관심을 가지게 되었다는 내용이 이어지고 있음에 유의한다.

Words and Grammar

awakening 각성
freedom 자유
take place 일어나다, 발생하다
fully 완전히
mastery 전문 기술
for one's own sake ~ 자신을 위해
● 「so+조동사+주어」는 '~도 그렇다'라는 의미이다.

2 If you attempt to give advice when athletes would prefer to practice on their own, you may be wasting your time. When athletes realize that their best efforts are producing [satisfactory / unsatisfactory] outcomes, they are usually more motivated to hear what you have to say. In other words, athletes are responsive to advice when they fail to achieve the outcome ●they were hoping for.

수능이라면 이렇게!

In other words는 '다시 말해서'라는 의미로 앞 문장의 내용을 다른 말로 반복할 때 쓰는 표현임에 유의한다.

Words and Grammar

attempt to ~을 시도하다
athlete 운동선수
prefer 선호하다
on one's own 혼자서
outcome 결과, 성과
motivated 동기가 부여된
responsive 반응하는
achieve 달성하다
● they were hoping for는 목적격 관계대명사절로 선행사 the outcome을 수식한다.

Answers p. 5

다음 글의 밑줄 친 부분 중, 어법상 틀린 것을 고르시오.

3 Not many years ago, school children were taught that carbon dioxide is the ① naturally occurring lifeblood of plants. Today, children are more likely to think of carbon dioxide as a poison. That's ② because the amount of carbon dioxide in the atmosphere ③ have increased a lot over the past one hundred years, from about 280 parts per million to 380.

수능이라면 이렇게!

① 부사가 수식하는 말을 찾는다.
② 접속사 because 다음에는 절이 온다는 점에 유의한다.
③ 주어와 동사의 수가 일치하고 시제의 쓰임이 바른지 판단한다.

Words and Grammar

carbon dioxide 이산화탄소
naturally 자연스럽게
occurring 일어나고 있는
lifeblood 생명의 원천
poison 독
atmosphere 대기
● 4형식 동사의 수동태이다.

1 주

4 One day when I was in the bathroom, the lock on the door jammed. I remembered the small window on the back wall. After climbing out the window, I ① hung from the window sill for a few seconds and then easily dropped to the ground. Later my mother came home and asked me what I ② have been doing. ③ Laughing, I responded, "Oh, just hanging around."

수능이라면 이렇게!

① 접속사로 연결된 문장으로 동사가 2개임에 유의한다.
② 엄마가 집에 와서 물어본 시점과 내가 하고 있던 일의 시점을 비교한다.
③ 분사구문의 의미를 파악한다.

Words and Grammar

jam 움직이지 않게 되다
window sill 창턱
respond 대답[응답]하다
hang around 돌아다니다
● 직접화법인 asked me "What have you been doing?"으로 바꿔 쓸 수 있다.

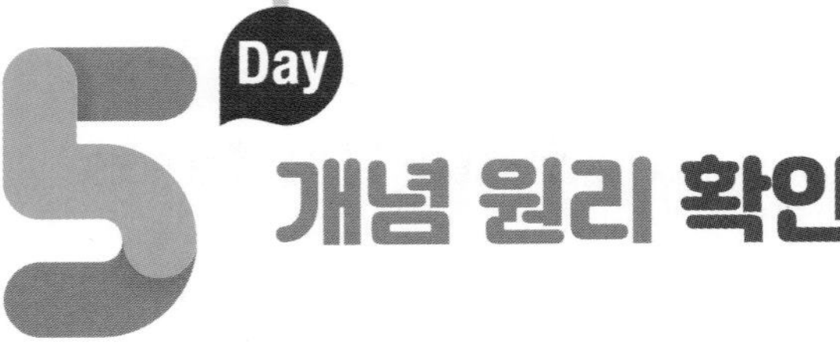

Day 5 개념 원리 확인 ❶

// 그림을 보며 단어의 뜻을 익혀 보세요.

attach [ətǽtʃ]

v. 붙이다, 첨부하다

She **attached** her photo on her blog.

그녀는 블로그에 자신의 사진을 올렸다.

detach [ditǽtʃ]

v. 떼다[분리하다], 분리되다

He **detached** the hood from the coat.

그는 코트에서 모자를 떼어냈다.

certain [sə́:rtn]

a. ❶ 확신하는 ❷ 확실한

She is **certain** it is true.

그녀는 그것이 사실이라고 확신한다.

uncertain [ʌnsə́:rtn]

a. ❶ 확신이 없는 ❷ 불확실한

He is **uncertain** about the future.

그는 미래에 대해 확신이 없다.

complicated [kɑ́:mpləkèitid]

a. 복잡한

a **complicated** problem

복잡한 문제

uncomplicated [ʌnkɑ́:mpləkèitid]

a. 복잡하지 않은, 단순한

an **uncomplicated** problem

복잡하지 않은 문제

Answers p. 6

다음 빈칸에 알맞은 것을 고르시오.

1 Life is full of ___________ events, without warning.

① uncertain ② confident ③ unsurprising

인생은 경고가 없이 **불확실한** 일들로 가득하다.

2 Most people think that the law is quite ___________ and confusing.

① simple ② complicated ③ dedicated

대부분의 사람은 법이 상당히 **복잡하고** 혼란스러운 것이라고 생각한다.

3 The plot was ___________ and easy to follow.

① complex ② unpopular ③ uncomplicated

줄거리는 **복잡하지 않고** 이해하기 쉬웠다.

4 Don't forget to ___________ the file before sending the mail.

① attach ② attend ③ attract

메일을 보내기 전에 파일을 **첨부하는** 것을 잊지 마.

5 Victoria was absolutely ___________ that she had left the keys in the car.

① contain ② certain ③ certainly

Victoria는 그녀가 차에 열쇠를 두었다고 전적으로 **확신했다**.

6 The wheel may ___________ from the bicycle while riding, and it will result in serious injury.

① attach ② detach ③ depart

자전거를 타는 중에 자전거에서 바퀴가 **분리될** 수 있고, 그것은 심각한 부상을 야기할 것이다.

de-는 '분리'의 의미가 있는 접두사야.

Tip

개념 원리 확인 ❷

수동태의 형태와 쓰임을 기억하자!

❶ 내 방은 어제 우리 아빠에 의해 칠해졌어. 방은 새롭게 보여. ❷ 벽지가 찢어졌네.
❸ 책과 종이들은 여기저기 바닥 위에 흩어져 있고. ❹ 개는 자신이 한 일에 대해 벌을 받겠군.

하루 어법

- **수동태**는 **주어가 동사의 행위를 당하는 대상**일 때 쓰며 '주어가 (~에 의해) …되다[당하다]'라는 의미이다.
- 수동태의 기본 형태는 「**be동사+과거분사**(+by 행위자)」이다.

수동태의 여러 가지 형태	
미래 시제	will be+과거분사
진행 시제	be동사+being+과거분사
완료 시제	have/has/had+been+과거분사
조동사가 있을 때	조동사+be+과거분사

Answers p. 6

네모 안에서 알맞은 것을 고르시오.

1 The documents [wrote / were written] in a complicated language.

2 GPS will be [attached / attaching] to vehicles to track movements.

vehicle 차량, 탈것
track 추적하다
movement 움직임

3 For years, experts have [encouraged / been encouraged] parents to read aloud to their children on a daily basis.

expert 전문가
encourage 권장하다, 장려하다
on a daily basis 매일

4 Herbs [have used / have been used] as medicines by various cultures around the world for centuries.

various 다양한, 여러 가지의

5 Some people think the bones of the Indians might [be buried / been buried] in the cave.

bury 묻다, 매장하다
cave 동굴

6 It was certain that the bird was [being / been] chased by its predator.

chase 쫓다
predator 포식자

주어가 동작을 하는 행위자일 때는 능동태로 나타내고
주어가 행위를 당하는 대상일 때는 수동태로 나타내야 해.

다음 글의 네모 안에서 알맞은 것을 고르시오.

1 Europe's first *Homo sapiens* lived primarily on •large game, particularly reindeer. Even under ideal circumstances, •hunting these fast animals with spear or bow and arrow is a(n) [certain / uncertain] task.

수능이라면 이렇게!

'심지어 이상적인 상황에서도'라는 뜻의 양보 부사구로 보아, 뒤에는 부정적인 내용이 이어질 것임을 알 수 있다.

Words and Grammar

primarily 주로
game 사냥감
reindeer 순록
ideal 이상적인
spear 창
- large game과 reindeer는 동격이다.
- hunting ~ arrow가 주어부이다. 동명사구가 주어이므로 단수 동사 is를 쓴다.

2 I know a father who devoted himself earnestly to photographing the birth of his only child. The photos were beautiful, but he said he felt that he •had missed out on the most important first moment of his son's life. Looking through the camera lens made him [attached / detached] from the scene. He was just an observer, not an experiencer.

수능이라면 이렇게!

자신의 아이의 탄생을 체험한 것이 아니라 관찰한 것이라는 내용이 이어짐에 유의한다.

Words and Grammar

devote oneself to -ing ~하는 데 몰두하다
earnestly 진지하게
miss out on (즐거움 등을) 놓치다
scene 현장
observer 관찰자
experiencer 체험자
- 과거완료는 「had+과거분사」의 형태로, 과거의 특정 시점보다 더 이전에 일어난 일을 나타낸다.

Answers p. 7

다음 글의 밑줄 친 부분 중, 어법상 틀린 것을 고르시오.

3 Chocolate can last in a cool, dry place for up to a year. Though chocolate may ① <u>been kept</u> in the refrigerator or freezer, it will take on the smells of other foods in time, so taste before using. Also, ② <u>make</u> sure to bring chocolate to room temperature before eating, •as frozen bits of chocolate always ③ <u>strike</u> me as rather hard and tasteless.

수능이라면 이렇게!

① 주어인 초콜릿이 '보관되는' 대상임에 유의한다.
② 주절의 동사를 확인한다.
③ 부사절의 주어와 동사의 수가 일치하는지 확인한다.

Words and Grammar

last 지속되다
take on 특별한 성질이나 모습을 띠기 시작하다
strike *A* as *B* A에게 B라는 인상을 주다
tasteless 맛이 없는
● as는 이유를 나타내는 접속사로 부사절을 이끈다.

4 When people face real adversity, a pet's continuing affection ① <u>becoming</u> important for them. It reassures them that their essence •has not been damaged. Thus pets are important in the treatment of ② <u>depressed</u> patients. In addition, pets are ③ <u>used</u> to great advantage with the aged.

수능이라면 이렇게!

① 준동사와 본동사의 쓰임을 구분한다.
② patients가 감정을 느끼는 주체인지 감정의 원인인지 판단한다.
③ 주어가 행위자인지 행위를 당하는 대상인지 확인한다.

Words and Grammar

face 직면하다
adversity 역경
affection 애정
reassure 안심시키다
essence 본질
treatment 치료
to advantage 유익하게
● 현재완료 수동태의 부정은 「have/has+not+been+과거분사」로 나타낸다.

기출 문제로 이번 주 학습 내용 확인하기

다음 글의 밑줄 친 부분 중, 문맥상 낱말의 쓰임이 적절하지 않은 것을 고르시오.

1

One of the best ① remedies for coping with family tension is saying sorry. Some people think it shows weakness. Nothing of the kind. In fact, it is exactly the ② opposite. Another good way of relieving tension is a row. After the storm comes the calm. A row has another ③ advantage. When tempers are ④ raised, unspoken truths usually come out. They may hurt, but at the end, you know each other better. Lastly, most of the tensions between children are ⑤ risky, so don't worry too much.

*row: 말다툼

2

It is often believed that a diligent person may meet ① more deadlines than a person who is not diligent. Walter Mischel found, however, that the typical correlation between personality traits and behavior was quite ② modest. Mischel argued that personality psychologists had ③ overestimated the power of situational influences. To ④ predict whether a person will meet a deadline, for example, knowing something about the situation may be more useful. Situational influences can be very powerful, sometimes ⑤ overwhelming individual differences in personality.

*correlation: 상관관계

Answers p. 7

다음 글의 밑줄 친 부분 중, 어법상 틀린 것을 고르시오.

3

At the beginning of the twenty-first century, the popularity of fine breads and pastries ① are growing fast. Interestingly ② enough, many of the technological advances in bread making ③ have sparked a reaction among bakers and consumers alike. They are looking to reclaim some of the flavors of old-fashioned breads that ④ were lost as baking became more industrialized. Bakers are researching methods for ⑤ producing the handmade sourdough breads of the past.

4

When you have ideas you like, you often think everyone else should feel the same way. If they don't, it very often ① becomes a matter of "they just don't understand!" If a colleague around you ② doesn't understand your idea, or its potential, you are ③ been given an important message. Maybe your view of a problem that you think you are solving is not ④ shared by other coworkers? If your colleague cannot see it, your consumers may not ⑤ either. Make constant efforts until everyone you explain your idea to understands it.

특강 창의·융합·사고력

만화를 읽고, 표시된 단어의 우리말 뜻에 해당하는 것에 체크하시오.

1 minimum	☐ 최소한의 ☐ 최대한의	
2 underestimate	☐ 과대평가하다 ☐ 과소평가하다	
3 intentional	☐ 고의적인 ☐ 고의가 아닌	
4 certain	☐ 확신하는 ☐ 확신이 없는	

Answers p. 9

단어 카드에서 알맞은 말을 찾아 만화를 완성하시오.

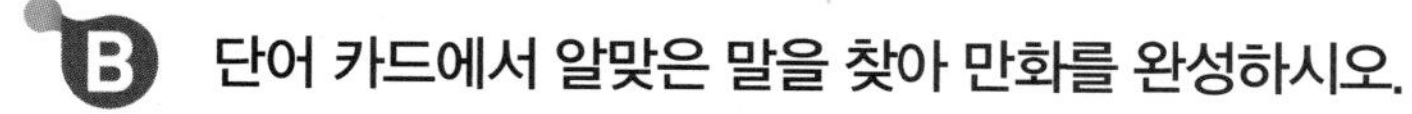

available	unavailable	attached	detached
satisfactory	unsatisfactory	include	exclude

1 주

C 알맞은 접두사와 연결하여 반의어를 만드시오.

1 dis- •

2 un- •

3 im- •

4 in- •

• ⓐ regard

• ⓑ intentional

• ⓒ practical

• ⓓ curable

• ⓔ conscious

• ⓕ advantage

D C에서 만든 반의어 중 알맞은 것을 골라 문장을 완성하시오.

1 They found him lying ____________ on the floor and called 119.

2 I forgave her for her ____________ mistake.

3 You may be in danger if you ____________ safety rules.

4 She loves high heels, but they are rather ____________.

5 This method has only one ____________: it costs too much.

6 Patients with ____________ diseases are brought to the hospice.

Answers p. 9

힌트를 보고 다음 퍼즐을 완성하시오.

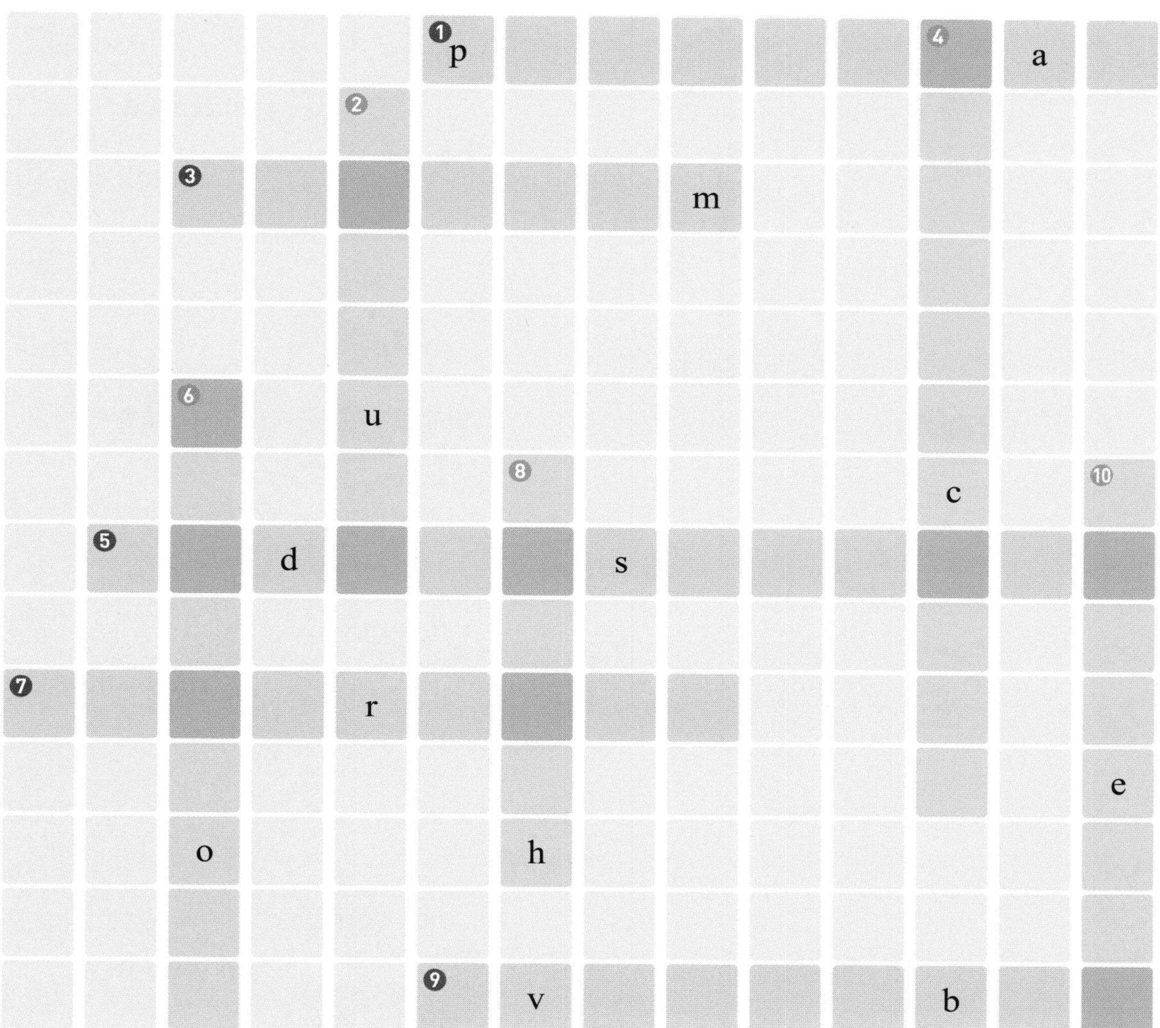

Across

❶ concerned with actual use or practice synonym effective; useful

❸ the largest amount possible antonym minimum

❺ to think that something is less or lower than it really is

❼ feeling doubt about something synonym unclear

❾ able to be bought or used

Down

❷ to intentionally not include something

❹ difficult to understand synonym complex

❻ aware of something; awake

❽ to become separated from something

❿ to become smaller in size, number, etc. synonym reduce

F 다음 중 알맞은 단어 카드를 골라 문장을 완성하시오.

1 The number of tourists
- [ ] have
- [ ] has

increased.

2 Everyday chores such as cleaning
- [ ] make
- [ ] makes

us tired.

3 Toxic substances
- [ ] detected
- [ ] were detected

in T-shirts for infants.

4 I asked her how she
- [ ] has come
- [ ] had come

up with it.

5 Over the years, they have
- [ ] found
- [ ] finding

fossils of dinosaurs.

6 Researchers have argued that green spaces
- [ ] have
- [ ] having

a calming effect.

Answers p. 9

G 다음 대화에서 어법상 틀리게 말한 사람의 이름을 쓰고, 문장을 바르게 고쳐 다시 쓰시오.

1

Amy: I heard that more than one and a half million tickets have already been sold for the Olympics.

Ted: Many tickets have bought by genuine sports fans.

(1) 잘못 말한 사람 : ______________________

(2) 바르게 고친 문장 : ______________________

2

Eva: I am tried to lose weight since I was 12.

Brian: One of the easiest ways to lose weight is to stop eating food late at night.

(1) 잘못 말한 사람 : ______________________

(2) 바르게 고친 문장 : ______________________

3

Lily: Learning about animals makes me understand and want to protect them.

Sam: I agree that animals must protected.

(1) 잘못 말한 사람 : ______________________

(2) 바르게 고친 문장 : ______________________

해석

Amy: 올림픽의 입장권이 벌써 백오십 만 장 이상 팔렸다고 들었어.

Ted: 많은 입장권들은 진정한 스포츠 팬들에 의해 구입되었어.

Eva: 나는 12살 때부터 살을 빼기 위해 노력해 왔어.

Brian: 살을 빼는 가장 쉬운 방법 중 하나는 밤늦게 음식을 그만 먹는 것이야.

Lily: 동물들에 대해 배우는 것은 내가 동물들을 이해하고 그들을 보호하고 싶게 해.

Sam: 나는 동물들이 보호받아야 한다는 것에 동의해.

Week 2

이번 주에는 무엇을 공부할까? ①

// 만화를 보며 단어와 뜻을 연결해 보세요.

1

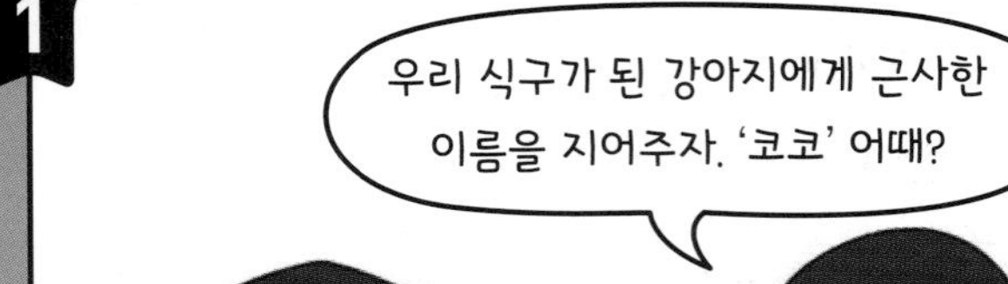

❶ common ·		· 독특한
❷ unique ·		· 흔한

2

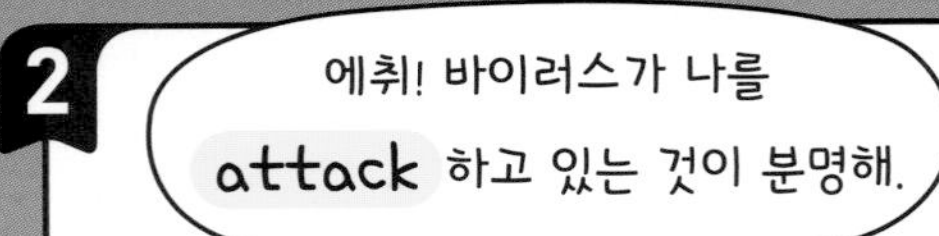

❶ attack ·		· 공격하다
❷ defend ·		· 방어하다

이번 주에는 서로 반대되는 뜻을 나타내는 반의어를 공부합니다.

• Answers p. 10

3

❶ combine •		• 결합하다[되다]
❷ separate •		• 분리하다[되다]

4

❶ deny •		• 인정[시인]하다
❷ admit •		• 부인[부정]하다

Week
2 이번 주에는 무엇을 공부할까? ❷

이번 주에는 준동사 즉, 동명사와 to부정사, 분사 등에 대해 공부합니다.

POINT 1 동명사는 문장에서 명사 역할을 하고, to부정사는 명사, 형용사, 부사의 역할을 해요. 동사에 따라 동명사를 목적어로 쓰기도 하고, to부정사를 목적어로 쓰기도 하니 꼭 구분해서 알아두세요.

동명사	형태: 동사원형+-ing 쓰임: 문장에서 명사(주어, 보어, 목적어) 역할
to부정사	형태: to+동사원형 쓰임: 문장에서 명사(주어, 보어, 목적어), 형용사, 부사 역할

동명사: enjoy, finish, admit, mind, avoid, deny, recommend, quit, stop, give up 등

동사

to부정사: want, hope, decide, wish, plan, promise, agree, need, refuse 등

동사에 따라 동명사와 to부정사 중 하나 또는 둘 다를 목적어로 쓸 수 있습니다.

간단 체크

• Answers p. 10

1 밑줄 친 to부정사 또는 동명사의 역할에 체크하세요.

	주어	보어	목적어
(1) Wendy decided <u>to go</u> to Australia.	☐	☐	☐
(2) You have to finish <u>painting</u> the wall first.	☐	☐	☐
(3) My dream is <u>becoming</u> a singer.	☐	☐	☐
(4) <u>To walk</u> the streets alone at night is not safe.	☐	☐	☐

POINT 2 분사는 동사원형에 -ing나 -ed를 붙여서 형용사처럼 쓰는 것을 말해요. 분사구문은 부사절(접속사+주어+동사)을 분사가 이끄는 부사구로 줄여 쓴 구문이지요.

	형태	의미
현재분사	동사원형+-ing	능동(~하는), 진행(~하고 있는)
과거분사	동사원형+-ed/불규칙 과거분사형	수동(~되어진), 완료(~된)

~~Because he~~ ate too much, he had a stomachache.
➡ Eating too much, he had a stomachache.

분사구문을 만드는 방법은 어렵지 않아요.

① 접속사를 생략하고

② 부사절의 주어를 생략한 다음에(주절의 주어와 같을 때)

③ 동사를 현재분사로 바꿔주면 끝!

분사구문은 시간, 이유, 동시동작, 연속동작[상황], 조건, 양보 등 다양한 의미를 나타냅니다.

• Answers p. 10

간단 체크 **2** 자연스러운 문장이 되도록 알맞은 것끼리 연결하세요.

(1) Arriving home, •	• a. he entered the stadium.
(2) Waving at the crowds, •	• b. we can't buy a new table.
(3) Having no money, •	• c. she opened all the windows.
(4) Turning to the left, •	• d. you can find the flower shop.

개념 원리 확인 ❶

// 그림을 보며 단어의 뜻을 익혀 보세요.

squeeze [skwiːz]

v. ❶ (손가락으로 꽉) 짜다 ❷ (액체를) 짜(내)다
n. ❶ 짜냄 ❷ (소량의) 짠 즙

squeeze a tube of toothpaste 치약 통을 짜다

release [rilíːs]

v. ❶ 풀어 주다, 석방하다 ❷ 놓아 주다
❸ 개봉하다, 발매하다

release a baby bird 아기 새를 풀어 주다

poverty [pɑ́ːvərti]

n. 가난, 빈곤

live in **poverty** 가난하게 살다

wealth [welθ]

n. 재산, 부

gain great **wealth** 큰 부를 얻다

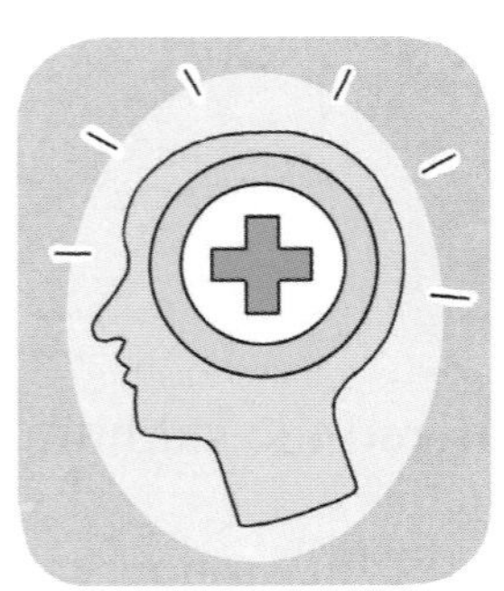

mental [méntl]

a. 정신적인

mental health 정신 건강

physical [fízikəl]

a. 신체적인

physical activity 신체 활동

Answers p. 11

다음 빈칸에 알맞은 것을 고르시오.

1 I ___________ the oranges to make some juice.

① squeezed ② memorized ③ released

나는 주스를 좀 만들기 위해 오렌지를 **짰다**.

2 The police ___________ the man because he hadn't done anything wrong.

① realized ② reduced ③ released

경찰은 그가 어떤 잘못된 일도 저지르지 않았기 때문에 그 남자를 **풀어 주었다**.

3 The government promised to fight against ___________ and hunger.

① poverty ② property ③ prosperity

정부는 **가난**과 배고픔에 맞서 싸울 것을 약속했다.

4 Her surprising talent has brought her great ___________ and fame.

① wealth ② wealthy ③ warning

그녀의 놀라운 재능은 그녀에게 엄청난 **부**과 명성을 가져다 주었다.

5 ___________ exercises keep you fit.

① Physics ② Physical ③ Material

신체적인 운동은 당신을 건강하게 유지시켜 준다.

6 The doctor is helping people suffering from ___________ illness.

① moral ② mental ③ intellectual

그 의사는 **정신적인** 질환으로 고통 받는 사람들을 돕고 있다.

poverty의 형용사형은 poor이고, wealth의 형용사형은 wealthy야.

Tip

Day

개념 원리 확인 ❷

동명사의 역할을 살펴 보자!

❶ 나는 수영하는 것을 즐겨. ❷ 물속에서 노는 것은 정말 재밌어!
❸ 심바는 수영을 잘해. ❹ 내가 가장 좋아하는 취미는 그의 사진을 찍는 거야.

하루 어법

- 동명사의 형태는 「**동사원형+-ing**」이고 '**~하기, ~하는 것**'으로 해석한다.
- 동명사와 to부정사는 모두 **명사**, 즉 **주어, 보어, 목적어** 역할을 한다. 전치사의 목적어로는 동명사만 가능하다.
- 동명사의 부정은 「not[never]+동명사」로 나타낸다.
- 자주 쓰이는 동명사의 관용적 표현을 알아두어야 한다.

  e.g. be used to -ing: ~에 익숙하다, look forward to -ing: ~하기를 고대하다,
  be worth -ing: ~할 만한 가치가 있다, spend+시간/돈+-ing: ~하느라 시간/돈을 쓰다

Answers p. 11

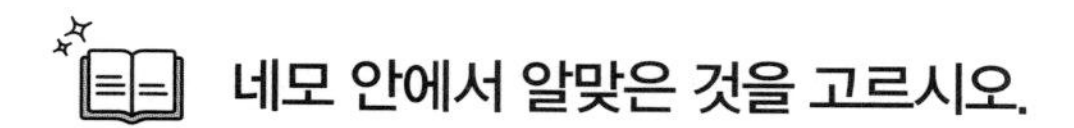

네모 안에서 알맞은 것을 고르시오.

1 [Read / Reading] books can increase your vocabulary.

increase 늘리다, 증가시키다
vocabulary 어휘

2 The gentleman is not interested in [show / showing] off his wealth.

be interested in ~에 관심이 있다
show off 과시하다

3 [Get / Getting] enough sleep is good for your physical and mental health.

4 People are killing whales without [considering / to consider] the consequences.

kill 죽이다
whale 고래
consider 고려하다
consequence 결과

5 The artist's dream is [has / having] her own art exhibition.

exhibition 전시회

6 The singer is looking forward to [release / releasing] a new album.

네모 안의 말이 문장에서
어떤 역할을 하는지 파악해!

Day 1 기초 유형 연습

Words in Paragraphs

다음 글의 네모 안에서 알맞은 것을 고르시오.

학평 응용

1 "You are ●what you eat." That phrase is often used to show the relationship between the foods you eat and your [physical / mental] health. When it is sometimes difficult to know exactly what is inside them, read food labels. Food labels are a good way ●to find the information about the foods you eat.

수능이라면 이렇게!

식품 라벨을 통해 식품에 관한 정보를 확인해야 하는 이유에 대해 생각해 본다.

Words and Grammar

phrase 구절
relationship 관계
food label 식품 (영양 성분) 라벨
● 관계대명사 what은 '~하는 것'으로 해석한다.
● 앞의 명사 way를 수식하는 형용사적 용법의 to부정사로 '알아내는'이라고 해석한다.

모의 응용

2 You must teach children not to disturb cats — especially by ●grabbing at them when they are resting in their bed. Don't let young children pick up kittens and cats, because they may [squeeze / release] them too hard around the belly and make them hate ●being carried for life.

수능이라면 이렇게!

아이들이 고양이를 들어 올리지 못하도록 해야 하는 이유가 무엇일지 추측해 본다.

Words and Grammar

disturb 방해하다
especially 특히
grab 움켜잡다, 붙잡다
pick up 들어 올리다
kitten 새끼 고양이
belly 배
● 전치사 by의 목적어로 동명사가 온다.
● 고양이가 '안겨지는 것'을 싫어하게 되는 것이므로 동명사의 수동태 형태인 「being+과거분사」로 나타낸다.

Answers p. 11

다음 글의 밑줄 친 부분 중, 어법상 틀린 것을 고르시오.

3 Ultrasound, an imaging technique, produces an image by ① <u>bounce</u> sound waves off an object inside the body. A picture is then ② <u>made</u> using the reflected sound waves. Doctors use ultrasound ③ <u>to visualize</u> the size and structure of internal organs.

*imaging technique: 화상 진단 기술

수능이라면 이렇게!

① 전치사의 목적어 역할을 하는 동사의 형태를 확인한다.
② 주어가 행위의 대상인지 확인한다.
③ to부정사가 어떤 의미로 쓰였는지 파악한다.

Words and Grammar

ultrasound 초음파
bounce off 튕겨 나오다
sound wave 음파
reflected 반사된
visualize 시각화하다
structure 구조
internal organ 내부 장기
● using ~ waves는 동시 상황을 나타내는 분사구문이다.

4 Are you honest with yourself about your strengths and weaknesses? Get to really know ① <u>yourself</u> and learn what your weaknesses are. ② <u>Accept</u> your role in your problems means that you understand the solution lies within you. If you have a weakness in a certain area, get educated and do ③ <u>what</u> you have to do to improve things for yourself.

수능이라면 이렇게!

① 문장에서 주어와 목적어가 가리키는 대상을 파악한다.
② 문장의 주어와 본동사를 확인한다.
③ 관계대명사 what의 쓰임이 바른지 확인한다.

Words and Grammar

strength 강점
weakness 약점
accept 받아들이다
lie 놓여 있다
certain 특정한
improve 개선하다
● 등위접속사 and로 연결되어 앞 문장의 Get과 병렬 구조를 이룬다.

2 주

개념 원리 확인 ❶

그림을 보며 단어의 뜻을 익혀 보세요.

abundant [əbʌ́ndənt]

a. 풍부한, 많은 ⓤ plentiful

abundant rainfall 풍부한 강우량

insufficient [ìnsəfíʃənt]

a. 불충분한 ⓤ scarce

insufficient sleep 불충분한 수면

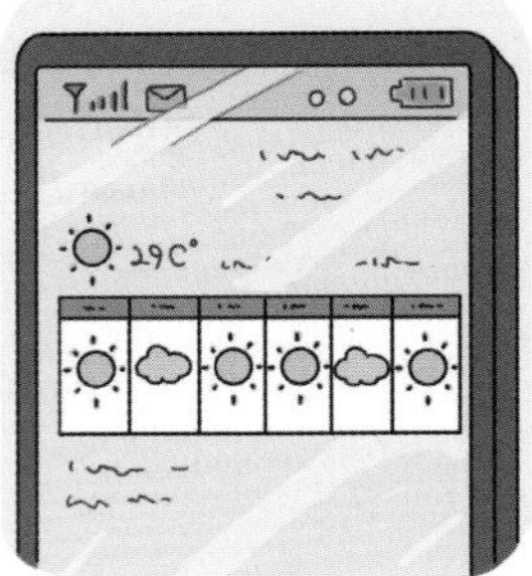

mostly [móustli]

ad. 주로, 일반적으로

Next week will be **mostly** sunny.

다음 주는 날씨가 주로 화창할 것이다.

rarely [réərli]

ad. 드물게, 좀처럼 ~하지 않는

It **rarely** rains in the desert.

사막에는 비가 좀처럼 오지 않는다.

allow [əláu]

v. ❶ 허락하다 ❷ (~하는 것을) 가능하게 하다

ⓤ permit

Swimming is **allowed** here.

이곳은 수영이 허용된다.

forbid [fərbíd]

v. 금하다, 금지하다

ⓤ ban, prohibit

Swimming is **forbidden** here.

이곳은 수영이 금지되어 있다.

Answers p. 12

다음 빈칸에 알맞은 것을 고르시오.

1 China is ___________ in natural resources.

① generous ② abound ③ abundant

중국은 천연 자원이 **풍부하다.**

2 Sera eats ___________ vegetables, and only eats meat about once a month.

① mostly ② likely ③ rarely

세라는 **주로** 야채를 먹고 고기는 한 달에 한 번쯤만 먹는다.

3 Damon is always busy. His schedule does not ___________ time for fun.

① allow ② agree ③ apply

Damon은 항상 바쁘다. 그의 일정은 그에게 즐길 시간을 **허락하지** 않는다.

4 The teacher tried to ___________ the use of cellphone in class, but students wouldn't listen to her.

① force ② forbid ③ permit

선생님은 수업 중 휴대 전화의 사용을 **금지하려고** 애썼지만, 학생들은 그녀의 말을 듣지 않으려 했다.

5 An ___________ amount of vitamins can lead to dry skin.

① intentional ② insufficient ③ independent

불충분한 양의 비타민은 건조한 피부를 야기할 수 있다.

6 I ___________ understand you. You talk so fast!

① rarely ② nearly ③ merely

나는 네가 하는 말을 **거의** 이해**할 수가 없어.** 너는 너무 빠르게 말한다고!

'충분한'이라는 의미의 단어 sufficient 앞에 '반대'를 나타내는 접두사 in-을 붙여 반의어 insufficient(불충분한)를 만들지.

Tip

to부정사의 다양한 용법을 이해하자!

❶ 마라톤에서 우승하는 것이 나의 꿈이야. ❷ 나는 일주일에 3일을 훈련할 계획이야. ❸ 마라톤에서 우승하는 것은 쉽지 않아.
❹ 네 목표를 이루는 가장 좋은 방법은 좋은 코치를 가지는 것이야. ❺ 너를 최고의 달리기 선수로 만들기 위해, 나는 너를 훈련시킬 거야.

하루 어법

- to부정사의 형태는 「**to+동사원형**」으로 문장에서 **명사**(주어, 보어, 목적어), **형용사**, **부사** 역할을 한다.
- 주어인 to부정사(구)가 길 때 **가주어 it**을 주어 자리에 쓰고 to부정사(구)는 뒤에 쓴다.

명사적 용법	주어(~하는 것은), 보어(~하는 것이다), 목적어(~하는 것을, ~하기를) • p. 66 to부정사를 목적어로 쓰는 동사 참고
형용사적 용법	명사를 뒤에서 수식하며 '~하는, ~(해야) 할'이라고 해석한다. 명사가 to부정사에 이어지는 전치사의 목적어일 때 전치사와 함께 쓴다. e.g. Will you give him a chair **to sit on**?
부사적 용법	동사, 형용사, 부사를 수식하며, 목적, 감정의 원인, 결과, 판단의 근거 등의 의미를 나타낸다.

Answers p. 12

네모 안에서 알맞은 것을 고르시오.

1 The lawyer collected abundant evidence [prove / to prove] his innocence.

evidence 증거
prove 증명하다
innocence 무죄, 결백

2 Her salary is insufficient [to buy / buying] her own car.

salary 급여, 월급

3 Since I rarely read these books, I decided [donating / to donate] them to the library.

donate 기부[기증]하다

4 Some say it is essential [forbids / to forbid] advertising of tobacco.

essential 필수적인
tobacco 담배

5 [Travel / To travel] around the world requires a lot of time and money.

require 필요로 하다

6 Leonardo Da Vinci had an unusual ability [to see / seeing] what others didn't see.

unusual 특이한
ability 능력

to부정사가 문장에서 어떤 역할을 하고 있는지 파악해.

다음 글의 네모 안에서 알맞은 것을 고르시오.

수능 응용

1 When teachers work in isolation, they tend to see the world through one set of eyes — their own. In the absence of a process •that [allows / forbids] them to benchmark those who do things better or at least differently, teachers are left with that one perspective — their own.

수능이라면 이렇게!

네모 안 동사의 주어인 a process가 교사들에게 어떤 의미의 '과정'일지 생각해 본다.

Words and Grammar

isolation 고립, 격리
in the absence of ~이 없는 상태에서
process 과정
benchmark 벤치마킹하다
perspective 시각, 관점
● that은 앞의 a process를 수식하는 절을 이끄는 주격 관계대명사이다.

2 •It is not always easy to get work done at the office. There is [frequently / rarely] quiet time during regular business hours to sit and concentrate. Office workers are regularly interrupted by ringing phones and chattering coworkers.

수능이라면 이렇게!

주기적으로 방해를 받기 쉬운 사무직원들에게 집중할 수 있는 조용한 시간이 얼마나 주어질지 생각해 본다.

Words and Grammar

regular business hour 정규 근무 시간
concentrate 집중하다
regularly 정기[규칙]적으로
interrupt 방해하다
chatter 수다를 떨다
coworker 동료
● It은 가주어이고, to 이하가 진주어이다. not always는 부분 부정으로 '항상 ~인 것은 아닌'으로 해석한다.

Answers p. 12

다음 글의 밑줄 친 부분 중, 어법상 틀린 것을 고르시오.

3 Ancient maps were not ① conceived through the same processes as modern maps. Unlike today's map makers, early map makers relied on literature ② creates maps. For example, Homer's *Iliad*, •which contained descriptions of actual places, ③ was the basis for many early maps.

수능이라면 이렇게!

① 수동태의 사용이 적절한지 확인한다.
② 문장의 본동사를 찾아본다.
③ 문장의 주어와 동사의 수가 일치하는지 확인한다.

Words and Grammar

ancient 고대의
conceive 고안하다, 상상하다
rely on ~에 의존하다
literature 문학
contain ~이 들어 있다
description 묘사
basis 기반, 바탕
• which ~ places는 계속적 용법의 관계대명사절로, 선행사 Homer's *Iliad*에 대한 보충 설명을 한다.

4 During the Renaissance, many people in Europe were becoming prosperous. Newly rich merchants found themselves with money ① spending. A lot of money was ② spent on luxuries. •Not everyone became wealthy, however. In fact, many peasants became ③ even poorer than they were before.

수능이라면 이렇게!

① 앞의 명사 money와의 관계를 파악한다.
② 앞의 be동사로 보아 수동태이다. 수동태의 사용이 적절한지 확인한다.
③ 비교급 앞에 쓰인 even의 의미를 파악한다.

Words and Grammar

prosperous 부유한
merchant 상인
luxury 사치(품)
wealthy 부유한
peasant 소작농
• not everyone은 '모두가 ~인 것은 아닌'이라는 뜻으로 부분 부정을 나타낸다.

2주

Day 3

개념 원리 확인 ❶

// 그림을 보며 단어의 뜻을 익혀 보세요.

weakness [wíːknis]

n. ❶ 약함 ❷ 약점

overcome one's **weakness** 약점을 극복하다

strength [streŋθ]

n. ❶ 힘 ❷ 강점, 장점

His **strength** is creativity. 그의 강점은 창의성이다.

combine [kəmbáin]

v. ❶ 결합하다[되다] ❷ 겸하다

㊖ combination *n.* 결합(물)

combine two parts into one 두 부분을 하나로 결합하다

separate *v.* [sépərèit] *a.* [sépərət]

v. 분리하다[되다] *a.* ❶ 분리된 ❷ 개별적인

㊖ separation *n.* 분리, 구분

separate into two pieces 두 조각으로 나누다

deny [dinái]

v. 부인[부정]하다

deny the rumor 소문을 부정하다

admit [ədmít]

v. 인정[시인]하다

admit one's mistake 실수를 인정하다

Answers p. 13

다음 빈칸에 알맞은 것을 고르시오.

1 His main ____________ as a sales manager is that he is too shy.

① lack ② weakness ③ advantage

판매 사원으로서 그의 주된 **약점**은 그가 너무 부끄러움이 많다는 것이다.

2 My biggest ____________ is that I am a fast learner.

① strong ② courage ③ strength

나의 가장 큰 **강점**은 빨리 배우는 학습자라는 것이다.

3 ____________ all the ingredients together in a bowl and mix well.

① Combine ② Confine ③ Convince

그릇에 모든 재료를 **합치고** 잘 섞어라.

4 A tall fence ____________ the two buildings.

① tolerates ② separates ③ separation

높은 울타리가 두 건물을 **분리한다.**

5 Some people can never ____________ they're wrong even if they know that they are.

① admit ② permit ③ submit

어떤 사람들은 자신이 틀렸다는 걸 알아도 절대로 그렇다는 것을 **인정하지** 않는다.

6 Nobody can ____________ the fact that Man is a social animal.

① deny ② decline ③ reject

인간이 사회적 동물이라는 사실을 아무도 **부인할** 수 없다.

Tip

단어의 품사를 확인하며 빈칸에 대입해 봐.

동명사와 to부정사를 목적어로 쓰는 동사를 기억하자!

❶ They wanted **to talk** to each other.

❷ However, they stopped **talking** to each other soon.

❶ 그들은 서로 이야기를 나누고 싶었다. ❷ 하지만 그들은 곧 서로 이야기 나누는 것을 멈추었다.

하루 어법

- 동사에 따라 동명사나 to부정사, 또는 둘 다를 목적어로 쓴다.

동명사를 목적어로 쓰는 동사	enjoy, finish, admit, mind, avoid, deny, recommend, quit, stop, give up 등 *cf.* stop+to부정사: ~하기 위해 멈추다(to부정사의 부사적 용법)
to부정사를 목적어로 쓰는 동사	want, hope, decide, wish, plan, promise, agree, need, refuse 등
둘 다 목적어로 쓰는 동사	• 의미 변화 없음: continue, begin, love, hate 등 • 의미 변화 있음: remember, forget, regret, try 등 e.g. remember/forget+동명사: (과거에) ~한 것을 기억하다/~한 것을 잊다 remember/forget+to부정사: (앞으로) ~할 것을 기억하다/~할 것을 잊다

Answers p. 13

네모 안에서 알맞은 것을 고르시오.

1 Ken decided [admitting / to admit] that he had stolen Jenny's watch.

2 I remember [to watch / watching] that TV show on Friday evenings back in the 90's.

3 You need [knowing / to know] your own strengths and weaknesses.

4 Negative emotions are natural, so stop [to deny / denying] them.

negative 부정적인
emotion 감정
natural 자연스러운

5 He apologized to me and agreed [paying / to pay] for the damage.

apologize 사과하다
damage 손상, 피해

6 My grandad enjoys [to spend / spending] time at a park and [to talk / talking] about fishing.

동명사와 to부정사를 모두 목적어로 쓸 수 있지만 의미가 달라지는 동사에 주의해야 해.

2주

Day 3 기초 유형 연습

다음 글의 밑줄 친 부분 중, 문맥상 낱말의 쓰임이 적절하지 않은 것을 고르시오.

학평 응용

1 Interpersonal messages ① separate content and relationship dimensions. For example, a supervisor may say to a trainee, "See me after the meeting." This simple message has a content message. It also ② contains a relationship message •that says something about the ③ connection between the supervisor and the trainee.

수능이라면 이렇게!

언급된 관리자와 수습 직원 사이의 메시지의 예를 통해 글쓴이가 말하고자 하는 중심 생각을 파악한다.

Words and Grammar

interpersonal 대인관계에 관련된
content 내용
dimension 차원, 관점
supervisor 관리자
trainee 수습 직원
contain ~이 들어 있다
connection 관계
• that이 이끄는 주격 관계대명사절이 앞의 a relationship message를 수식한다.

수능 응용

2 •Maintaining good social relations depends on the ① capacity for guilt. Martin L. Hoffman, who has focused on the guilt that comes from harming others, suggests that the motivational ② basis for this guilt is empathetic distress. Empathetic distress occurs when people ③ deny that their actions have caused harm or pain to another person.

*empathetic distress: 공감의 고통

수능이라면 이렇게!

공감의 고통이 죄책감과 어떤 관계에 있는지 파악한다.

Words and Grammar

maintain 유지하다
depend on ~에 달려 있다
capacity (수용) 능력
guilt 죄책감
harm 해를 끼치다; 피해, 손해
suggest 시사하다
motivational 동기를 주는
occur 일어나다, 발생하다
• Maintaining good social relations는 동명사구 주어로 단수 동사와 함께 쓴다.

Answers p. 14

다음 글의 밑줄 친 부분 중, 어법상 틀린 것을 고르시오.

3 Employees often expect ① receiving raises and or bonuses, but these factors are not just about money. Employees want ② to be compensated fairly for their work. Part of this compensation could be monetary, but often times recognition is just as important. People love ③ to hear •they have done a good job.

수능이라면 이렇게!

① 앞에 오는 동사가 동명사를 목적어로 쓰는지 확인한다.
② to부정사의 수동태의 쓰임이 적절한지 판단한다.
③ 앞에 오는 동사가 to부정사를 목적어로 쓰는지 확인한다.

Words and Grammar

raise (임금의) 인상
and or 양쪽 또는 어느 한 쪽
compensate 보상하다
fairly 공정하게
compensation 보상
monetary 금전(상)의
recognition 인정
• they 앞에 접속사 that이 생략되어 있다.

4 When a lecturer presents a succession of new concepts, some write furiously in their notebooks, while others give up ① write in complete discouragement. Note taking thus is dependent on one's ability ② to understand •what is being said, and hold it in working memory long enough ③ to write it down.

수능이라면 이렇게!

① give up의 목적어가 바르게 쓰였는지 확인한다.
② to부정사의 용법을 확인한다.
③ enough to의 의미를 확인한다.

Words and Grammar

lecturer 강사
present 제시하다
a succession of 일련의
concept 개념
furiously 열심히, 맹렬히
• what은 understand의 목적어 역할을 하는 명사절을 이끄는 관계대명사로 '~하는 것'이라고 해석한다.

2주

개념 원리 확인 ❶

// 그림을 보며 단어의 뜻을 익혀 보세요.

attack [ətǽk]

v. 공격하다 *n.* 공격, 폭행

attack the enemy 적을 공격하다

defend [difénd]

v. 방어[수비]하다 ㊙ **defense** *n.* 방어

defend oneself 자신을 방어하다

loosen [lúːsn]

v. ❶ 느슨하게 하다[되다] ❷ 풀다

loosen one's tie 넥타이를 느슨하게 하다

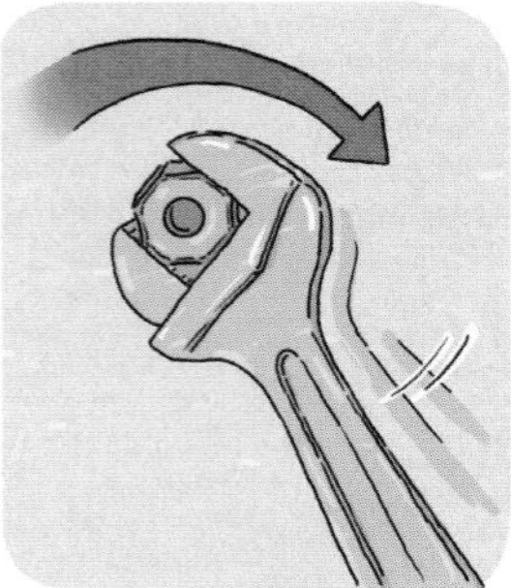

tighten [táitn]

v. 팽팽해지다[팽팽하게 하다], 조여지다[조이다]

tighten the screw 나사를 조이다

beneficial [bènəfíʃəl]

a. 유익한, 이로운 ㊒ advantageous

beneficial to health 건강에 이로운

harmful [hɑ́ːrmfəl]

a. 해로운, 유해한

harmful to health 건강에 해로운

Answers p. 14

다음 빈칸에 알맞은 것을 고르시오.

1 White blood cells ___________ the body against infection.

① defense ② defend ③ defect

백혈구는 감염으로부터 몸을 **방어한다**.

2 The bees will ___________ you when you get near their hive.

① attack ② attach ③ attain

벌집 가까이 가면 벌들이 당신을 **공격할** 것이다.

3 First, ___________ the nuts and remove the flat tire.

① lessen ② loosen ③ lease

우선, 나사를 **풀고** 바람 빠진 타이어를 제거해라.

4 The watch strap is too loose. ___________ it up a bit.

① Shorten ② Tighten ③ Threaten

시계줄이 너무 헐거워. 그것을 조금 **조여** 보렴.

5 Use sunscreen to protect your skin from the ___________ effects of the sun.

① harmful ② harmless ③ advantageous

햇빛의 **해로운** 영향으로부터 여러분의 피부를 보호하기 위해 자외선 차단제를 사용하세요.

6 Ladybugs are ___________ insects. They eat bugs that are known to destroy crops.

① official ② artificial ③ beneficial

무당벌레는 **이로운** 곤충이다. 그들은 농작물을 해친다고 알려진 벌레들을 먹는다.

형용사를 만드는 접미사 중 -ful은 '풍부함'을 나타내고 -less는 '결핍, 부족함'을 나타내.

Tip

2주

개념 원리 확인 ❷

명사를 수식하는 분사의 쓰임을 파악하자!

❶ 낙엽이 온 땅 위에 널려 있네요. ❷ 오, 내가 떨어지는 잎을 잡았어요!

하루 어법

- **분사**는 동사의 형태를 바꿔 형용사처럼 쓰이며 **명사를 수식**한다.

	형태	쓰임
현재분사	동사원형+-ing	능동(~하는), 진행(~하고 있는)
과거분사	동사원형+-ed/불규칙 과거분사형	수동(~되어진), 완료(~된)

- 분사가 단독으로 명사를 수식할 때는 분사를 명사 앞에 쓰고, 목적어나 수식어구가 붙어 있는 경우 명사 뒤에 쓴다.

Answers p. 15

네모 안에서 알맞은 것을 고르시오.

1 She gently laid the [slept / sleeping] baby down on the bed.

gently 살며시, 부드럽게
lay 놓다, 눕히다

2 Many small mammals [living / lived] in cold climates tend to sleep a lot.

mammal 포유동물
climate 기후

3 To apply for a passport, you need a photograph of yourself [taken / taking] in the last 6 months.

apply for ~을 신청하다
passport 여권

4 The word 'courage' is derived from the Latin word 'cor' [meaning / meant] 'heart.'

courage 용기
derive from ~에서 유래하다

5 A group of men attacked the car [parked / parking] on the side road.

park 주차하다

6 [Processed / Processing] food and bad eating habits are harmful to your health.

process (식품 등을) 가공하다

분사가 수식하고 있는 명사와의 관계가 능동인지 수동인지 확인해.

Day 4 기초 유형 연습

Words in Paragraphs

다음 글의 밑줄 친 부분 중, 문맥상 낱말의 쓰임이 적절하지 않은 것을 고르시오.

학평 응용

1 ① Fear of sharks •has kept many pool swimmers from testing the ocean water. However, the actual chance of being ② defended by a shark is very small. In 2007, more people died from bee stings and snake bites than shark ③ attacks.

수능이라면 이렇게!

However 다음에 상어에 대한 사람들의 통념을 반박하고 있다는 점에 유의한다.

Words and Grammar

fear 두려움
keep *A* from *B* A가 B하지 못하게 하다
actual 실질적인
chance 가능성
● 「has + 과거분사」 형태의 현재완료 시제로, 과거에서부터 현재까지 계속되는 일을 나타낸다.

학평 응용

2 When I started my career, I looked forward to the ① annual report from the organization •showing statistics for each of its leaders. As soon as I received them in the mail, I'd ② compare my progress with the progress of all the other leaders. After about five years of doing that, I realized how ③ beneficial it was. Comparing yourself to others is really just a needless distraction. The only one you should compare yourself to is you.

수능이라면 이렇게!

자신과 남을 비교하는 것이 a needless distraction 일뿐이라고 한 말에서 자신의 지난 행동을 어떻게 생각하고 있는지 추측해 본다.

Words and Grammar

career 일, 경력
annual 매년의, 연간의
statistics 통계
compare 비교하다
progress 발전, 성장
distraction 정신을 흩뜨리는 것
● 조직의 연간 보고서가 통계를 '보여주는' 것이므로 능동의 의미인 현재분사 showing을 쓴다.

Answers p. 15

다음 글의 밑줄 친 부분 중, 어법상 틀린 것을 고르시오.

모의 응용

3 In a survey ① publishing earlier this year, seven out of ten parents said they would never • let their children play with toy guns. Yet the average seventh grader spends at least four hours a week ② playing video games, and about half of those games have violent themes. Psychologists point to more than a thousand studies that ③ demonstrate a link between media violence and real aggression.

수능이라면 이렇게!

① 앞의 a survey와 분사의 관계를 파악한다.
② 「spend+시간+-ing」의 의미를 파악한다.
③ 선행사를 찾고 선행사와 수가 일치하는지 확인한다.

Words and Grammar

publish 발표하다
average 보통의, 평균의
at least 적어도
violent 폭력적인
psychologist 심리학자
demonstrate 증명하다
media violence 매체 폭력
aggression 공격성
• 사역동사 let의 목적격 보어로 동사원형 play가 온다.

2주

4 Elections are ① held • to choose a person for a particular office. For example, seventh grade students may want to choose a class president. Students ② interested in the position will talk to their classmates. The class will then vote by marking their choices on ballots. A ballot is a piece of paper ③ listed the candidates for president. The person who gets the most votes becomes the new class president.

수능이라면 이렇게!

① 앞의 be동사로 보아 수동태이다. 과거분사의 쓰임이 적절한지 확인한다.
② 앞의 명사와 능동 관계인지 수동 관계인지 파악한다.
③ 명사 paper와 분사와의 관계를 파악한다.

Words and Grammar

election 선거
office 직무, 직책
class president 학급 반장
vote 투표하다; 표
ballot 투표용지
candidate 후보자
• to choose는 목적을 나타내는 부사적 용법의 to부정사이다.

Day 5 개념 원리 확인 ❶

// 그림을 보며 단어의 뜻을 익혀 보세요.

common [kɑ́ːmən]

a. ❶ 흔한 ❷ 공통의 ❸ 보통의 *n.* 공유지

a **common** English name 흔한 영어 이름

unique [juːníːk]

a. ❶ 유일한 ❷ 독특한, 특별한

a **unique** shape 독특한 모양

favorable [féivərəbəl]

a. ❶ 호의적인, 찬성하는 ❷ 유리한

favorable responses 호의적인 반응들

hostile [hɑ́ːstl]

a. ❶ 적대적인 ❷ ~에 반대하는

hostile relations 적대적 관계

concrete [kɑ́ːnkriːt]

a. ❶ 구체적인 ❷ 현실의 ❸ 콘크리트로 된

concrete objects 구체적인 물체들

abstract [ǽbstrækt]

a. ❶ 추상적인 ❷ 관념적인

abstract ideas 추상적인 개념들

Answers p. 16

다음 빈칸에 알맞은 것을 고르시오.

1 One of the most ____________ grammatical errors is mixing up "less" and "fewer."

① average ② comment ③ common

가장 **흔한** 문법적 오류 중 하나는 'less'와 'fewer'를 혼동하는 것이다.

2 Their neighbors were unfriendly and ____________ to them.

① familiar ② pleasant ③ hostile

그들의 이웃들은 그들에게 불친절하고 **적대적이**었다.

3 His polite attitude made a(n) ____________ impression on people.

① favorable ② unfavorable ③ vulnerable

그의 예의 바른 태도는 사람들에게 **호의적인** 인상을 주었다.

4 Hemingway is known for his ____________ writing style.

① critic ② unique ③ usual

헤밍웨이는 그의 **독특한** 문체로 유명하다.

5 There is no ____________ evidence to connect the suspect with the crime.

① concrete ② concern ③ constant

그 용의자와 범죄를 연관시킬 **구체적인** 증거가 없다.

6 A(n) ____________ concept is an idea that we can recognize but has no physical form.

① abstract ② subtract ③ distract

추상적인 개념은 우리가 인식할 수 있지만 물리적인 형태는 없는 생각이다.

빈칸에 알맞은 단어의 품사를 확인해.

Tip

개념 원리 확인 ②

분사구문의 형태와 의미에 유의하자!

❶ 소설책을 읽다가 나는 버스 안에서 잠이 들었다. ❷ 버스 안에서 잠이 들어서, 나는 내가 내릴 정류장을 놓쳤다.

하루 어법

- **분사구문**은 부사절에서 접속사와 주어를 생략하고 **동사를 현재분사로 바꿔 부사구로 만든 것**이다.
- 분사구문은 **시간, 이유, 동시동작, 연속동작[상황], 조건, 양보** 등의 의미를 나타낸다.
  e.g. 〈시간〉 **Seeing** her baby, she started to cry. = When[As soon as] she saw her baby, ~.
  〈동시동작〉 **Smiling** brightly, he hugged me tightly. = As[While] he smiled brightly, ~.
- 분사구문의 부정은 「**not[never]+분사**」로 쓴다.
- **완료 분사구문**은 「**having+과거분사**」의 형태로, 부사절의 시제가 주절보다 앞설 때 쓴다.
- 수동태의 분사구문에서는 보통 **being 또는 having been을 생략**하고 과거분사로 시작한다.

Answers p. 16

네모 안에서 알맞은 것을 고르시오.

1 [Walking / Being walk] on the beach, we saw many unique-shaped rocks.

2 [Sipped / Sipping] coffee, he tried to come up with concrete plans.

sip (음료를) 홀짝이다, 조금씩 마시다
come up with ~을 떠올리다

3 After [finished / finishing] his lecture, Mr. Jackson gave thanks to the favorable audience.

lecture 강의
audience 관중

4 [Writing / Being written] in haste, the report had many mistakes.

in haste 서둘러서
report 보고서
mistake 실수

5 [Not knowing / Knowing not] what to do, I called the police.

6 [Having spent / Having spending] my childhood in Spain, I can speak Spanish.

의미를 명확하게 하기 위해 접속사를 생략하지 않고 분사 앞에 쓰기도 해.

기초 유형 연습

다음 글의 네모 안에서 알맞은 것을 고르시오.

1 An automobile manufacturer decided to •stop producing a car due to poor sales. In response to the announcement that the car would soon no longer be available, sales jumped like never before. Why? The answer lies in the scarcity principle: People show a greater desire for an object when they learn that it is [unique / common], available in limited quantities, or obtainable for only a limited time.

수능이라면 이렇게!

자동차 회사의 사례를 통해 scarcity principle을 설명하고 있는 글이다. 사람들이 어떤 경우에 물건에 대한 욕구를 보이는지 생각해 본다.

Words and Grammar

due to ~ 때문에
in response to ~에 대한 반응으로
announcement 발표
scarcity principle 희소성의 원칙
obtainable 얻을[구할] 수 있는
● 「stop+동명사」는 '~하는 것을 멈추다'라는 의미이다.

2 Responses to survey questions are influenced by events. The reputation of an airline, for example, •will be damaged if a survey is conducted just after a plane crash. On the positive side, surveys by a beverage company about its image showed very [hostile / favorable] public attitudes just after its massive investment in the Olympics.

수능이라면 이렇게!

On the positive side로 보아, 앞서 언급한 항공사의 사례와 반대로 사건에 긍정적으로 영향을 받은 설문 조사 사례가 소개됨을 알 수 있다.

Words and Grammar

reputation 평판
conduct (조사 등을) 하다
plane crash 비행기 추락 사고
positive 긍정적인
attitude 태도
massive 막대한
investment 투자
● 미래 시제의 수동태는 「will be+과거분사」로 나타낸다.

Answers p. 16

다음 글의 밑줄 친 부분 중, 어법상 틀린 것을 고르시오.

3 Bees have their choice of flora according to color. Lord Avenbury once made an experiment to see ① if the color of flowers attracted bees. ② Placed honey on slips of paper of different shades, he found that the insects ③ which visited them seemed to have a marked preference for blue, after which came white, yellow, red, green and orange.

*flora: (특정 장소·시대·환경의) 식물군[상]

수능이라면 이렇게!

① if가 문장에서 쓰인 의미를 생각해 본다.
② 주어를 확인하여 수동태 분사구문의 쓰임이 알맞은지 판단한다.
③ 선행사를 확인하고 관계사절 안에서의 역할을 파악한다.

Words and Grammar

make an experiment 실험하다
attract 유인하다
slip (작은 종이) 조각, 쪽지
preference 선호(도)
• to see는 목적을 나타내는 부사적 용법으로 쓰였다.
• them = slips of paper of different shades

4 Plastic is extremely slow to degrade and tends to float, which allows it ① to travel in ocean currents for thousands of miles. Most plastics break down into smaller and smaller pieces when ② exposed to ultraviolet (UV) light, ③ formed microplastics.

*ultraviolet light: 자외선

수능이라면 이렇게!

① 동사 allow의 목적격 보어가 바르게 쓰였는지 확인한다.
② 주어와 분사와의 관계를 파악한다.
③ 분사구문의 의미를 파악한다.

Words and Grammar

degrade 분해하다[되다]
float (물에) 뜨다, 떠다니다
ocean current 해류
break down 분해하다
expose 노출하다
microplastic 미세 플라스틱
• which는 계속적 용법의 관계대명사로, which의 선행사는 앞 문장 전체이다.

2주

(A), (B), (C)의 각 네모 안에서 문맥에 맞는 낱말로 가장 적절한 것을 고르시오.

1

One CEO in one of Silicon Valley's most innovative companies holds a three-hour meeting that starts at 9 a.m. one day a week. It is (A) [never / always] missed or rescheduled at a different time. At first glance there is nothing particularly (B) [common / unique] about this. But what is unique is the quality of ideas that come out of the regular meetings. Because the CEO has eliminated the (C) [mental / physical] cost involved in planning the meeting, people can focus on creative problem solving.

2

Farmers plow more and more fields to produce more food for the increasing population. Farmers turn and (A) [loosen / tighten] the soil, leaving it in the best condition for farming. However, this process removes the important plant cover that holds soil particles in place, making soil (B) [defendable / defenseless] to wind and water erosion. Sometimes, the wind blows soil from a plowed field. Soil erosion in many places occurs at a much (C) [faster / slower] rate than the natural processes of weathering can replace it.

*soil particle: 흙입자, 흙을 구성하고 있는 광물 입자 **weathering: 풍화 작용

Answers p. 17

// 다음 밑줄 친 부분 중 어법상 틀린 것을 고르시오.

3

Most adults think they know their exact foot size, so they don't measure their feet when ① buying new shoes. While feet stop ② to grow in length by age twenty, most feet gradually ③ widen with age. Besides, your feet can actually be different sizes at different times of the day, ④ getting larger and returning to "normal" by the next morning. So, the next time you buy shoes, remember ⑤ that your foot size can change.

2 주

4

Young fish produce many fewer eggs than large-bodied animals, and many industrial fisheries are now so intensive ① that few animals survive more than a couple of years beyond the age of maturity. Together this means there are fewer eggs and larvae ② to secure future generations. In some cases the amount of young ③ producing today is a hundred or even a thousand times ④ less than in the past, ⑤ putting the survival of species, and the fisheries dependent on them, at grave risk.

*larvae: 유충 **young: 동물의 새끼

특강 창의 · 융합 · 사고력

A 만화를 읽고, 표시된 단어의 우리말 뜻에 해당하는 것에 체크하시오.

1 poverty
- ☐ 가난, 빈곤
- ☐ 재산, 부

2 mental
- ☐ 정신적인
- ☐ 신체적인

3 unique
- ☐ 흔한
- ☐ 독특한

4 forbid
- ☐ 허락하다
- ☐ 금지하다

Answers p. 19

B 단어 카드에서 알맞은 말을 찾아 만화를 완성하시오.

2주

C 서로 반대되는 뜻을 나타내는 단어 두 개를 찾아 동그라미하시오.

1
- admit
- squeeze
- release

2
- poverty
- wealth
- weakness

3
- combine
- forbid
- separate

4
- attack
- defend
- allow

D 서로 반대되는 뜻을 나타내는 단어를 완성하시오.

1	mental	↔	p			s		c		
2	loosen	↔	t					e	n	
3	abstract	↔			n			e	t	e
4	beneficial	↔			r	m			l	
5	mostly	↔	r			e				
6	deny	↔	a			i	t			

Answers p. 19

E 우리말을 참고하여 뒤섞인 철자의 순서를 바르게 쓰시오.

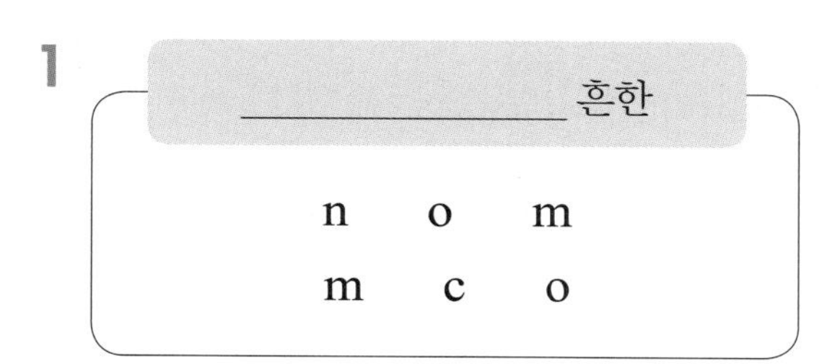

1 ______________ 흔한

n o m
m c o

2 ______________ 풍부한, 많은

n a u d
n a t b

3 ______________ 금지하다

r f d
o b i

4 ______________ 독특한

n e q
i u u

5 ______________ 불충분한

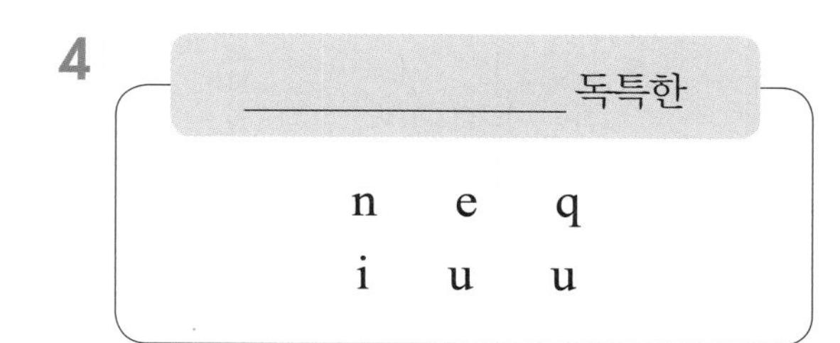

f i n t e s
n f i c i u

6 ______________ 호의적인

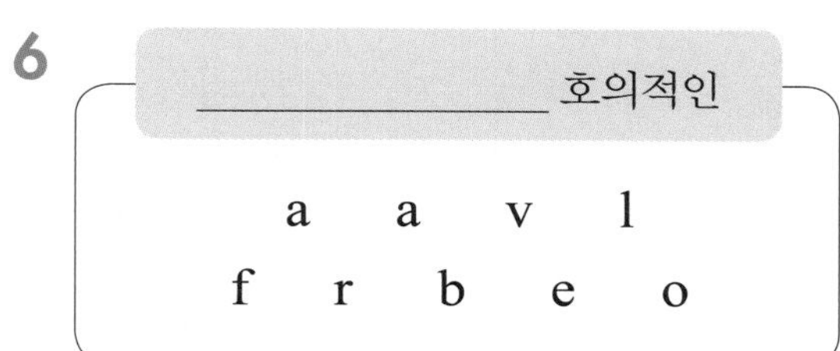

a a v l
f r b e o

2 주

F 위 단어 중 알맞은 것을 골라 빈칸에 쓰시오.

1 Every person's fingerprint is ____________.

2 If you want to leave, I can't ____________ you.

3 This restaurant got a(n) ____________ review in a travel guidebook.

4 Excessive cell phone use among teens is very ____________.

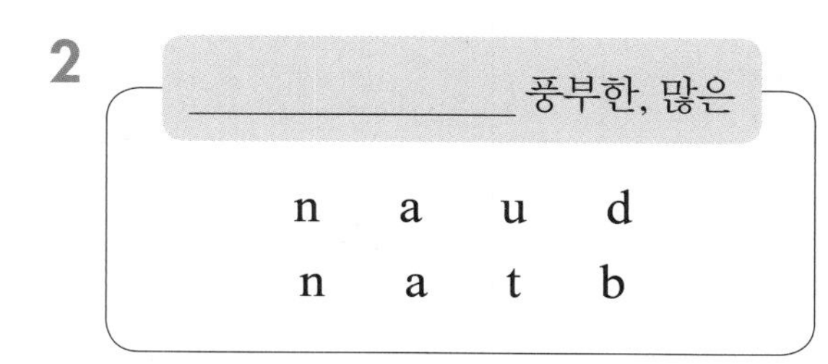

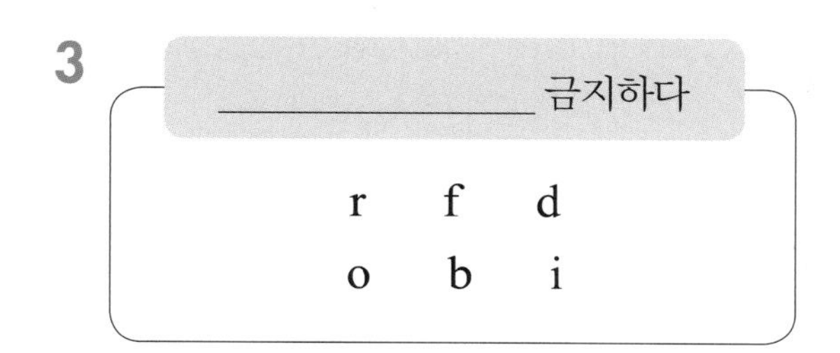

G 알맞은 단어 카드를 골라 문장을 완성하시오.

1 Jenny avoided [ ] to tell / [ ] telling him about her plans.

2 [ ] Drive / [ ] Driving very fast on a busy road may lead to an accident.

3 I recommend [ ] to read / [ ] reading more English short stories.

4 He promised [ ] respect / [ ] to respect my opinion.

5 Lynn dreams of [ ] live / [ ] living on a small island.

6 My life-long dream is [ ] visit / [ ] to visit the Grand Canyon.

7 Traveling is one of the best ways [ ] to learn / [ ] learning about culture.

Answers p. 19

H 알맞은 단어를 골라 현재분사 또는 과거분사의 형태로 바꿔 문장을 완성하시오.

1 Can you see that girl ____________ on the stage?

2 The ____________ crowd waited for the actress to arrive.

3 ____________ dishes were all over the floor.

4 What was your most ____________ experience?

excite	break	dance	frighten

I 다음 문장의 밑줄 친 부분을 분사구문으로 바꿔 쓰시오.

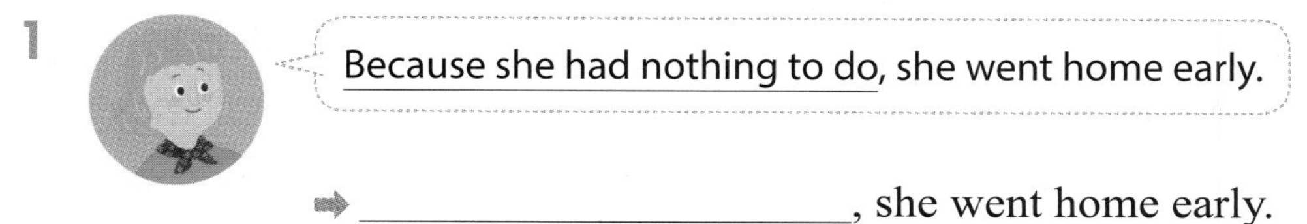

1 Because she had nothing to do, she went home early.

➡ ______________________, she went home early.

2 As soon as he arrived at the hotel, he got changed.

➡ ______________________, he got changed.

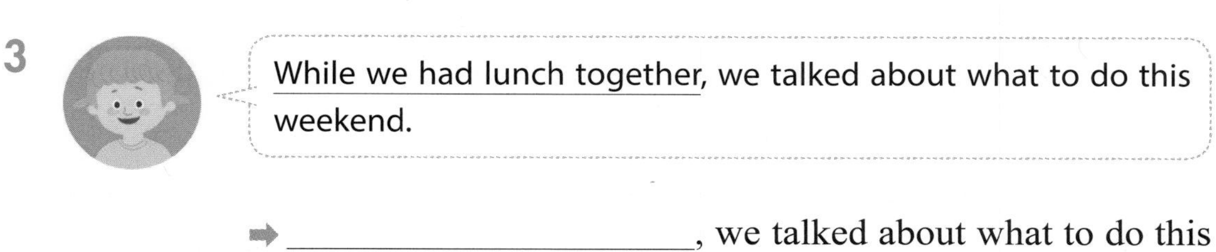

3 While we had lunch together, we talked about what to do this weekend.

➡ ______________________, we talked about what to do this weekend.

Week 3

이번 주에는 무엇을 공부할까? ❶

// 만화를 보며 단어와 뜻을 연결해 보세요.

❶ complement ·	· 보완하다
❷ compliment ·	· 칭찬하다; 칭찬

❶ extinct ·	· 추출하다
❷ extract ·	· 멸종한

어휘

이번 주에는 헷갈리기 쉬운 혼동어를 공부합니다.

• Answers p. 20

3

❶ attain •		• 여전히 ~이다
❷ remain •		• 달성하다

4

❶ observe •		• 관찰하다
❷ preserve •		• 보존하다

Week 3 이번 주에는 무엇을 공부할까? ②

이번 주에는 관계사와 접속사, 병렬 구조 등을 공부합니다.

POINT 1 관계사에는 관계대명사와 관계부사 등이 있어요. 관계대명사는 「접속사+대명사」 역할을 하고, 관계부사는 「접속사+부사」 역할을 합니다.

관계대명사 (접속사+대명사)	주격 관계대명사 who, which 목적격 관계대명사 who(m), which 소유격 관계대명사 whose, of which

관계부사 뒤에 오는 절은 형태가 완전해야 합니다.

관계부사 (접속사+부사)	시간의 관계부사 when 장소의 관계부사 where 이유의 관계부사 why 방법의 관계부사 how

• Answers p. 20

간단 체크

1 밑줄 친 부분이 관계대명사면 N에, 관계부사면 A에 체크하시오.

	N	A
(1) I know the boy <u>who</u> lives in the yellow house.	☐	☐
(2) I pointed at the yellow house <u>where</u> the boy lives.	☐	☐
(3) Are you going to buy the camera <u>that</u> I recommend?	☐	☐
(4) What's the reason <u>why</u> you recommend this camera?	☐	☐

POINT 2 명사절·부사절 등을 이끄는 접속사와 관계사의 쓰임을 구별해야 합니다.
또, 등위접속사나 상관접속사로 연결된 어구는 병렬 구조로 문법적 형태가 같아야 해요.

접속사와 관계사를
구별하려면 이 두 요소가
이끄는 절이 문장에서 하는
역할을 알아야 해요.

명사절은 명사 역할
부사절은 부사 역할

VS

관계사는 앞에 나온 명사,
즉 선행사를 꾸미는 역할!

병렬 구조에서
문법적 형태가
같아야 한다는 건
무슨 뜻이야?

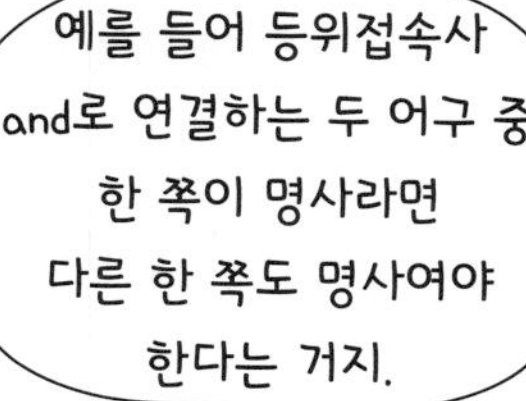

• Answers p. 20

간단 체크 **2** 괄호 안에서 알맞은 말을 고르시오.

(1) Do you know (who / that) Mr. Gilligan won the lottery?

(2) Julie visited her uncle and (talk / talked) with him.

(3) (Although / That) I know the answer, I won’t tell it to you.

(4) I enjoy not only swimming but also (hike / hiking) in summer.

Day 1

개념 원리 확인 ❶

그림을 보며 단어의 뜻을 익혀 보세요.

reject [ridʒékt]

v. 거절하다, 거부하다 ㊥ rejection *n.* 거절, 거부

reject his suggestion 그의 제안을 거부하다

reflect [riflékt]

v. ❶ 반사하다 ❷ 비추다 ❸ 반영하다 ❹ 숙고하다

㊥ reflection *n.* 반사, 반영, 심사숙고

reflect our opinions 우리 의견을 반영하다

attraction [ətrǽkʃən]

n. ❶ 명소, 명물 ❷ 매력

visit all the tourist **attractions**

모든 관광 명소를 방문하다

distraction [distrǽkʃən]

n. ❶ 집중을 방해하는 것 ❷ 오락, 기분 전환

avoid **distractions** to stay focused

계속해서 집중하려고 방해되는 것을 멀리하다

complement [kámpləment]

v. 보충[보완]하다 *n.* 보완물

㊥ complementary *a.* 보충[보완]하는

complement it rather than replace it

그것을 교체하기보다는 보완하다

compliment [kámpləment]

v. 칭찬하다 *n.* 칭찬, 찬사

㊥ complimentary *a.* 칭찬하는

compliment her on her work

그녀의 일에 대해 그녀를 칭찬하다

Answers p. 21

다음 빈칸에 알맞은 것을 고르시오.

1 I ___________ the offer, and I regret it now.

① reflected ② rejected ③ attracted

나는 그 제안을 **거절했고** 지금 그것을 후회하고 있다.

2 You need to ___________ him for his effort.

① compliment ② complement ③ complete

당신은 그의 노력에 대해 그를 **칭찬할** 필요가 있다.

3 I haven't found any ___________ in joining the group.

① attraction ② distraction ③ attractive

나는 그 모임에 참여하는 것에 있어 아무 **매력**을 찾지 못했다.

4 She couldn't concentrate on the movie because of many ___________.

① distract ② attractions ③ distractions

그녀는 많은 **방해 요소** 때문에 영화에 집중하지 못했다.

5 I think you should ___________ your article for the readers.

① complain ② compliment ③ complement

나는 당신이 독자들을 위해 당신의 기사를 **보완해야** 한다고 생각한다.

6 The smooth surface of the water ___________ the sky and clouds flawlessly.

① reflection ② reflected ③ rejected

매끄러운 수면이 하늘과 구름을 흠 없이 **비추었다**.

단어의 의미뿐 아니라 품사에도 주의해야 해.

Tip

3주

개념 원리 확인 ❷

관계대명사의 쓰임을 구별하자!

❶ Find me in this picture. I was five then.

❷ Hmm, the girl **who** is climbing up the tree?

❸ No! Find the dog **whose** tail is black.

❹ The dog **whose** tail is black?

❺ Yes, and the girl **whom** the dog is running after. That's me.

❶ 이 사진에서 나를 찾아 봐. 나는 그때 다섯 살이었어. ❷ 흠, 나무를 타고 있는 여자애인가? ❸ 아냐! 꼬리가 검은 개를 찾아. ❹ 꼬리가 검은 개? ❺ 응, 그리고 그 개가 뒤쫓고 있는 소녀도. 그게 나야.

- **선행사**와 **관계사절에서의 역할**을 살펴 알맞은 관계대명사를 사용해야 한다.

사람·주격	who[that]	사물/동물·주격	which[that]
사람·목적격	who(m)[that]	사물/동물·목적격	which[that]
사람·소유격	whose	사물/동물·소유격	whose[of which]

- 선행사가 없을 때에는 선행사를 포함하는 관계대명사 **what**을 쓰고, '**~하는 것**'이라고 해석한다.
- 선행사가 관계대명사절에서 전치사의 목적어일 때, 전치사는 관계대명사 앞에 쓸 수 있다. 단, 전치사가 앞에 올 때에는 관계대명사 that을 쓰지 않는다.

Answers p. 21

네모 안에서 알맞은 것을 고르시오.

1 We need to meet the client [who / which] rejected our offer.

client 의뢰인
offer 제안

2 [That / What] you have to see in this town is not just an attraction.

3 Remove distractions [who / which] keep you from focusing on your work.

remove 제거하다
keep *A* from *B* A가 B하는 것을 못하게 하다
focus on ~에 집중하다

4 Who took the pot in [which / that] some red flowers were planted?

pot 화분
plant 심다

5 His mom is the only person [who / whose] compliments are meaningful to him.

meaningful 의미 있는

6 We should find the person [whom / which] the witness saw on the bus.

witness 목격자

선행사가 사람인지 아닌지, 그리고 관계대명사가 관계사절에서 어떤 역할을 하는지 확인해.

Day 1 기초 유형 연습

Words in Paragraphs

다음 글의 네모 안에서 알맞은 것을 고르시오.

1 In a study of 500 marriages, one researcher determined that successful marriage is most closely linked to communication skills. Above all, get rid of [attractions / distractions]: the TV, the Internet, and e-mail. •What you and your spouse need is quality time to talk. You can have good talks on evening walks. A quiet drive can work wonders too.

수능이라면 이렇게!

뒤에 나오는 the TV, the Internet, and e-mail이 무엇에 해당할지 생각해야 한다.

Words and Grammar

marriage 결혼 생활
determine 알아내다
be linked to ~와 연관되다
closely 밀접하게
spouse 배우자
quality 양질의
• What you and your spouse need is: What ~ need는 선행사를 포함하는 관계대명사 what이 이끄는 명사절로 주어 역할을 하고 있다.

2 The traditionally trained painters, •who were confined mostly to exact copy of natural objects, started to enjoy impressionist art at the end of the nineteenth century. Many French painters produced large quantities of impressionistic art, inspired by the characteristic images of natural objects. These works [rejected / reflected] the major themes of the times such as love and nature, and the new techniques of painting intensified and illuminated those themes.

*impressionist art: 인상주의 예술

수능이라면 이렇게!

인상주의 예술이 당대의 화제를 강화했다는 내용이 이어짐에 유의한다.

Words and Grammar

traditionally 전통적으로
confine 국한시키다
natural 자연의
produce 창조하다
inspire 영감을 주다
characteristic 특유의
intensify 강화하다
illuminate 명백히 하다
• who ~ objects는 주어인 The traditionally trained painters에 대한 부가적인 정보를 준다.

Answers p. 21

다음 글의 밑줄 친 부분 중, 어법상 틀린 것을 고르시오.

3 Cut out your favorite cartoon from the newspaper, and post it wherever you need ① it most. Every time you see it, you will smile. Share your favorites with your friends and family ② so that everyone can get a good laugh. Take your comics with you when you go to visit sick friends ③ whom can really use a good laugh.

수능이라면 이렇게!

① 대명사가 가리키는 것을 확인한다.
② 접속사 so that의 쓰임을 확인한다.
③ 관계대명사 whom의 선행사와 관계사절에서의 역할을 확인한다.

Words and Grammar

post 붙이다, 게시하다
wherever 어디든지
share 공유하다, 나누다
can use a laugh 웃을 일을 필요로 하다
● Every time you see it = Whenever you see it

3주

4 If you always reward a child for her accomplish-ments, she will focus more on getting the reward than on ① which she did to earn it. The focus of her excitement shifts from enjoying learning itself to ② pleasing you. She may become a praise lover ③ who eventually becomes less interested in learning.

수능이라면 이렇게!

① 관계대명사 which의 선행사와 관계사절에서의 역할을 확인한다.
② 앞의 to가 전치사임에 유의한다.
③ 관계대명사 who의 선행사와 관계사절에서의 역할을 확인한다.

Words and Grammar

reward 보상하다; 보상
accomplishment 성취
earn 얻다
shift from *A* to *B* A에서 B로 옮겨가다
praise 칭찬
eventually 결국
● 목적어 learning을 강조하기 위해 쓰인 재귀대명사이다.

Day 2

개념 원리 확인 ❶

// 그림을 보며 단어의 뜻을 익혀 보세요.

underlie [ʌ̀ndərlái]

v. ~의 기초가 되다, ~의 기저에 있다

This theory **underlies** his analysis.

이 이론은 그의 분석의 기초가 된다.

undermine [ʌ̀ndərmáin]

v. 약화시키다

undermine the government's authority

정부의 권위를 약화시키다

depict [dipíkt]

v. 묘사하다, 그리다 ⓟ depiction n. 묘사

the painting that **depicts** the beauty of nature

자연의 아름다움을 묘사하는 그림

predict [pridíkt]

v. 예측하다 ⓤ forecast v. 예측[예보]하다

try to **predict** her future

그녀의 미래를 예측하려 하다

remain [riméin]

v. 여전히 ~이다, 남다 n. remains 나머지, 잔해

The little house **remains** the same.

그 작은 집은 그대로 남아 있다.

attain [ətéin]

v. ❶ 달성하다, 얻다 ❷ (나이 · 속도에) 이르다

attain her goal successfully

성공적으로 그녀의 목표를 달성하다

Words from the Tests

Answers p. 22

다음 빈칸에 알맞은 것을 고르시오.

1 Frequent lies threaten to ___________ relationships.

① undermine ② underlie ③ understand

잦은 거짓말은 관계를 **약화시키는** 위협이 된다.

2 She worked hard to ___________ fame and wealth.

① remain ② attach ③ attain

그녀는 명성과 부를 **얻기** 위해 열심히 노력했다.

3 The question of equality ___________ almost all discussions around discrimination.

① underlies ② undermines ③ underneath

평등에 대한 의문이 차별에 관한 거의 모든 논의의 **기초가 된다.**

4 In her novel, she ___________ the man as a hero like Spider-Man.

① predicted ② depicted ③ depended

그녀의 소설에서 그녀는 그 남자를 스파이더맨 같은 영웅으로 **묘사했다.**

5 Why do the suspects ___________ silent?

① attain ② remain ③ maintain

왜 용의자들이 조용**하게 있지?**

6 Some scientists ___________ that the earth's temperature will increase by 3 degrees by 2050.

① prepare ② prevent ③ predict

일부 과학자들은 2050년까지 지구의 기온이 3도 상승할 것이라고 **예측한다.**

형태가 비슷할 때 헷갈리기 쉬워.

Tip

3주

관계대명사와 관계부사의 쓰임을 구분하자!

❶ Do you remember the time **when** you saw this cat in front of your store?

❷ Hmm, can you tell me the reason **why** you ask?

❸ This is my cat. He's missing.

❹ Oh, it was around noon. ❺ He was sitting at the spot **where** you are standing right now.

❶ 당신 가게 앞에서 이 고양이를 본 시각을 기억하세요? ❷ 흠, 물어보시는 이유를 알려 주시겠어요?
❸ 이건 제 고양이에요. 잃어버렸어요. ❹ 오, 정오쯤이었어요. ❺ 그 고양이는 지금 당신이 서 있는 그곳에 앉아 있었어요.

- **관계대명사**: 「접속사+대명사」 역할 *vs*. **관계부사**: 「접속사+부사」 역할
- 관계대명사 뒤에는 주어, 목적어, 또는 소유격 인칭대명사 등이 빠진 **불완전한 절**이 온다.
  vs. 관계부사는 관계사절에서 부사 역할을 하므로, 뒤에 **완전한 형태의 절**이 온다.
- 관계부사는 선행사의 의미에 따라 구분해서 쓴다.

	선행사	관계부사
시간	the time, the day, the year 등	when
장소	the place, the house, the city 등	where * 선행사가 상황(the situation)일 때도 관계부사 where를 쓴다.
이유	the reason	why
방법	the way	how * the way와 how는 함께 쓸 수 없다. 둘 중 하나는 생략해야 한다.

Answers p. 22

네모 안에서 알맞은 것을 고르시오.

1 We visited the museum [where / which] the famous architect designed.

architect 건축가

2 His essay depicts the day [which / when] there was a big parade at the city.

essay 수필, 소논문
parade 행진, 행렬

3 The documentary is about [how / what] the old castle has remained perfect.

castle 성
perfect 완벽한

4 The doctor predicted the time [when / which] the baby would be born.

5 I don't know the reason [why / how] she tries to undermine my confidence.

confidence 자신감

6 Halloween is the day [when / where] the largest amount of candy is consumed in the U.S.

consume 소비하다

우선 관계사절의 형태가 완전한지 확인해.

다음 글의 네모 안에서 알맞은 것을 고르시오.

수능 응용

1 The ears do not lie. Through our ears we gain access to vibration, which [underlies / undermines] everything around us. •The sense of tone and music in another's voice gives us an enormous amount of information about that person.

수능이라면 이렇게!

네모 안 동사의 주어는 선행사 vibration이며, 이것이 다음 문장의 'tone and music'에 연결된다. 또한 undermine에 부정적인 의미가 있다는 점에 유의한다.

Words and Grammar

gain 얻다
access 접근
vibration 진동
tone 어조
enormous 엄청난
• The sense ~ another's voice가 주어부에 해당한다. 4형식 구조이며 us가 간접목적어, an enormous ~ that person이 직접목적어이다.

학평 응용

2 Richard traveled around the U.S. with some Chinese in the 1930s. At the time, many people in the U.S. had a negative opinion of Chinese people. Most of the hotels and restaurants that Richard had written to •refused to serve Chinese customers. But when he visited the same hotels and restaurants, the Chinese were treated with politeness. Surprisingly, the powerful unfavorable attitudes didn't [predict / depict] actual behavior.

수능이라면 이렇게!

중국인에 대한 미국인의 태도가 실제 행동과 어떻게 차이가 있었는지 생각해 본다.

Words and Grammar

negative 부정적인
refuse 거절하다
treat 응대하다
politeness 공손함
surprisingly 놀랍게도
unfavorable 비우호적인
attitude 태도
actual 실제의
behavior 행동
• refuse는 to부정사를 목적어로 쓰는 동사이다.

Answers p. 22

다음 글의 밑줄 친 부분 중, 어법상 틀린 것을 고르시오.

3 Non-verbal communication can be useful in situations ① which speaking may be impossible or inappropriate. Imagine you are in an uncomfortable position ② while talking to someone. Non-verbal communication will help you ③ get some time off the conversation •to be comfortable again.

수능이라면 이렇게!

① 관계대명사 which의 선행사와 관계절 안에서의 역할을 파악한다.
② 접속사 while의 쓰임이 맞는지 파악한다.
③ 목적격 보어로 동사원형이 쓰일 수 있는 구조인지 파악한다.

Words and Grammar

non-verbal 말로 하지 않는, 비언어적인
cf. verbal 언어의, 구두의
inappropriate 부적절한, 부적합한
• to부정사가 목적을 나타내는 부사적 용법으로 쓰였다.

3주

4 On January 10, 1992, a ship ① traveling through rough seas lost 12 cargo containers, one of ② which held 28,800 floating bath toys. After seven months, the first toys reached a beach near Sitka, Alaska, 3,540 kilometers from the place ③ how •they were lost.

수능이라면 이렇게!

① 앞의 명사와의 관계와 문맥을 살펴 능동·진행의 의미를 가진 현재분사의 쓰임이 맞는지 판단한다.
② 관계사절에서의 역할과 선행사를 파악하여 which의 쓰임이 맞는지 판단한다.
③ 관계사절에서의 역할과 선행사를 파악하여 how의 쓰임이 맞는지 판단한다.

Words and Grammar

rough 거친
cargo container 화물 컨테이너
float 물에 뜨다
reach 이르다, 도달하다
• they = the first toys

Day 3
개념 원리 확인 ❶

그림을 보며 단어의 뜻을 익혀 보세요.

realize [ríːəlàiz]

v. ❶ 깨닫다, 알아차리다 ❷ 실현하다

realize his true intention
그의 진짜 의도를 깨닫다

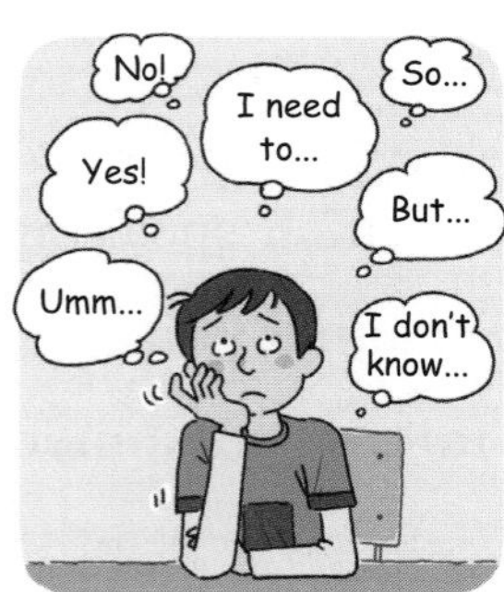

rationalize [rǽʃənəlàiz]

v. 합리화하다

Don't **rationalize** your failure.
당신의 실패를 합리화하지 마시오.

change [tʃeindʒ]

v. ❶ 변하다, 바꾸다 ❷ 교체하다
n. ❶ 변화 ❷ 교체 ❸ 거스름돈

change the light bulb on the ceiling
천장의 전구를 교체하다

range [reindʒ]

n. ❶ 범위, 영역 ❷ 줄[열]
v. 정렬시키다, (어느 범위 내에서) 변동하다

The prices **range** from $100 to $300.
가격은 100달러에서 300달러 범위이다.

extinct [ikstíŋkt]

a. 멸종한 ㊀ extinction n. 멸종

The mammoth went **extinct**.
매머드는 멸종했다.

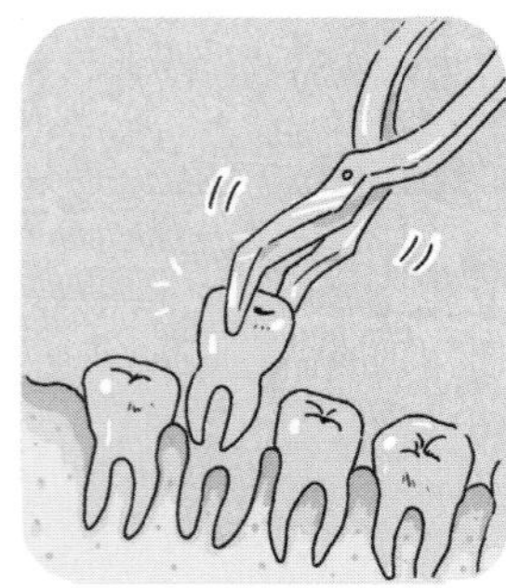

extract v. [ikstrǽkt] n. [ékstrækt]

v. ❶ 뽑다, 추출하다 ❷ 인용하다
n. ❶ 추출물 ❷ 인용구

extract a rotten tooth 충치를 뽑다

Words from the Tests

Answers p. 23

다음 빈칸에 알맞은 것을 고르시오.

1 Eddie tried to ____________ his behavior by saying that he had no other choice.

① realize ② rationalize ③ rationality

Eddie는 그에게 다른 선택권이 없었다고 말함으로써 그의 행동을 **합리화하**려 했다.

2 The company has produced a wide ____________ of products.

① range ② change ③ endanger

그 회사는 다양한 **영역**의 제품들을 생산해 왔다.

3 I asked my brother to ____________ my new T-shirt for his shirt.

① change ② range ③ realize

나는 형에게 내 새 티셔츠와 그의 셔츠를 **바꾸자고** 요구했다.

4 The species will be ____________ if we do not protect it.

① extract ② extinct ③ extinction

그 종은 우리가 그것을 보호하지 않는다면 **멸종할** 것이다.

5 I ____________ juice from the fresh lemons he had given.

① extracted ② extinct ③ subtracted

나는 그가 준 신선한 레몬들로 즙을 **추출했다**.

6 In order to describe nature, it's important to ____________ how beautiful it is.

① realize ② realization ③ rationalize

자연을 묘사하기 위해서는, 그것이 얼마나 아름다운지 **깨닫는** 것이 중요하다.

Tip
extract의 접두사 ex-는 '밖으로'라는 의미이고 어근 tract는 '끌어 당기다'라는 의미야.

절을 이끄는 접속사의 쓰임에 주의하자!

❶ I found **that** my bike was broken.

❷ The bike **that** you bought only a week ago?

❸ Do you know **if** you can have it fixed for free?

❹ I don't know yet.

❺ I was **so** upset **that** I couldn't check.

❶ 내 자전거가 고장 난 걸 발견했어. ❷ 네가 겨우 일주일 전에 산 그 자전거? ❸ 그거 무료로 수리될 수 있는지 알아? ❹ 아직 몰라. ❺ 너무 화가 나서 확인하지 못했어.

하루 어법

- **접속사 that**은 **완전한 형태의 문장 구조로 이루어진 명사절**을 이끈다.
  vs. 관계대명사 that 뒤에는 불완전한 형태의 절이 나온다.
- 접속사 **if**나 **whether**는 '~인지 아닌지'라는 의미로 **명사절**을 이끈다.
- **fact**, **idea**, **notion**, **rumor**, **news** 등의 명사 뒤에 that이 이끄는 명사절이 오면 「명사 = that이 이끄는 명사절」 관계가 성립한다.
- 「**so+형용사/부사+that+주어+동사**」는 '매우 ~해서 …하다'의 의미이다.

Answers p. 23

네모 안에서 알맞은 것을 고르시오.

1 [That / What] I realized about myself was that I had no interest in studying.

2 Check [that / whether] we can expand the range of our products.

expand 확장하다
product 상품

3 The fact [that / what] dinosaurs became extinct 65 million years ago is now well-known.

dinosaur 공룡
well-known 잘 알려진

4 The singer's agent rationalized [if / that] he had to change the repertoire.

agent 에이전트, 대리인
repertoire 레퍼토리, (모든) 연주곡목

5 My laptop is so old [that / how] it takes a long time to extract the text from the document.

document 서류, 문서

6 The father told his son [that / what] in about 1886 Karl Benz invented the automobile.

invent 발명하다
automobile 자동차

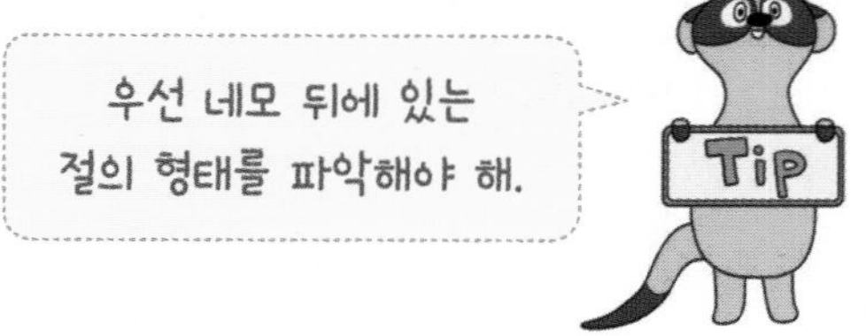

Words in Paragraphs

다음 글의 네모 안에서 알맞은 것을 고르시오.

모의응용

1 Some coaches believe that mental skill training (MST) can only help perfect the performance of highly skilled competitors. As a result, they shy away from MST. The coaches [realize / rationalize] •that because they are not coaching elite athletes, mental skills training is less important.

수능이라면 이렇게!

선택해야 하는 동사의 목적어인 that절의 내용과 글의 전반적인 흐름에 유의한다.

Words and Grammar

perfect 완벽하게 하다
highly skilled 고도로 숙련된
competitor (시합) 참가자
shy away from ~을 피하다
athlete 운동선수
● that절 안에 부사절 (because ~ elite athletes)과 주절 (mental skills ~ important)이 있는 구조이다.

2 •Much of our knowledge of the biology of the oceans comes from "blind" sampling. We use bottle or net samples to [extinct / extract] knowledge about the organisms living in the ocean. This kind of approach has influenced the way we view marine life.

수능이라면 이렇게!

주어진 동사에 이어지는 목적어의 의미를 파악한다.

Words and Grammar

biology 생물학, 생명 활동
blind 되는 대로의, 무계획적인
sampling 견본 추출
net 그물
organism 유기체, 생물
approach 접근
marine life 해양 생물
● Much of ~ the oceans가 주어부이고, 「much of+셀 수 없는 명사」는 단수 취급하므로 단수 동사인 comes가 온다.

Answers p. 24

다음 글의 밑줄 친 부분 중, 어법상 틀린 것을 고르시오.

3 Explain to your parents ① that money is something •you will have to deal with for the rest of your life. It is better ② what you make your mistakes early on rather than later in life. Explain that you need to know how ③ to manage your money. Not everything is taught at school!

수능이라면 이렇게!

① 뒤에 나오는 절의 구조를 파악하여 that의 쓰임이 적절한지 확인한다.
② what 뒤에 나오는 절의 구조를 파악하여 what의 쓰임이 적절한지 확인한다.
③ to부정사 앞에 의문사가 있는 것에 유의한다.

Words and Grammar

explain 설명하다
deal with ~을 다루다
early on 초기에, 일찍
rather than ~보다 차라리
manage 관리하다
• you ~ your life가 앞에 있는 something을 수식한다.

4 Advertising helps people ① find the best for themselves. When they are ② made aware of a whole range of goods, they are able to compare •them and make purchases so that they get ③ that they desire with their hard-earned money.

수능이라면 이렇게!

① 「help+목적어+목적격 보어」의 구조임에 유의한다.
② 주어 they가 행위자인지 행위의 대상인지 판단한다.
③ that 뒤에 나오는 절의 구조를 파악하여 that의 쓰임이 적절한지 확인한다.

Words and Grammar

advertising 광고
aware 인식하는, 알고 있는
goods 상품
desire 바라다
hard-earned 힘들게 번
• them = a whole range of goods

Day 4 개념 원리 확인 ❶

// 그림을 보며 단어의 뜻을 익혀 보세요.

adopt [ədɑ́:pt]

v. ❶ 채택[적용]하다 ❷ 입양하다

㉫ adoption *n.* 채택; 입양

He **adopted** a cat. 그는 고양이 한 마리를 입양했다.

adapt [ədǽpt]

v. ❶ 적응하다[시키다] ❷ 개작[각색]하다

㉫ adaptation *n.* 적응; 각색

My eyes **adapted** to darkness. 내 눈은 어둠에 적응했다.

respectful [rispéktfəl]

a. 경의를 표하는, 존중하는, 공손한

They were **respectful** to each other.

그들은 서로를 존중했다.

respective [rispéktiv]

a. 각자의, 각각의

the experts from the **respective** countries

각 나라에서 온 전문가들

evade [ivéid]

v. 피하다, 회피하다, 모면하다

Why do you **evade** this issue?

왜 당신은 이 문제를 회피합니까?

evoke [ivóuk]

v. (기억을) 떠올려 주다, ~을 불러일으키다

Photos **evoke** memories.

사진은 기억을 떠올려 준다.

Answers p. 25

다음 빈칸에 알맞은 것을 고르시오.

1 The government decided to ____________ new data protection measures.

① adapt ② adopt ③ adaptation

정부는 새로운 데이터 보호 방안을 **채택하기로** 결정했다.

2 Family members should be ____________ to each other.

① respect ② respective ③ respectful

가족 구성원은 서로를 **존중해야** 한다.

3 You should not ____________ your responsibilities.

① evade ② evoke ③ evolve

너는 네 의무를 **회피해서는** 안 된다.

4 This song always ____________ the emotion of sadness in me.

① evokes ② avoids ③ advises

이 노래는 언제나 내 안의 슬픔의 감정을 **불러일으킨다.**

5 The participants were told to stay in their ____________ rooms.

① respective ② respectful ③ responsible

참가자들은 **각각의** 방에 머무르라고 지시받았다.

6 It is not easy for children to ____________ to a new school.

① adapt ② adaptation ③ adaptive

아이들이 새 학교에 **적응하는** 것은 쉽지 않다.

3 주

Day

개념 원리 확인 ❷

접속사와 전치사의 쓰임을 구별하자!

❶ We're late **because of** a traffic jam.
❷ We're late **because** we were stuck in a traffic jam.

❸ **Although** we're late, we haven't missed the movie.
❹ **In spite of** being late, we haven't missed the movie.

❶ 우리는 교통 체증 때문에 늦었다. ❷ 우리는 교통 체증에 갇혀서 늦었다.
❸ 우리는 비록 늦었지만 영화를 놓치지는 않았어. ❹ 늦었음에도 불구하고 우리는 영화를 놓치지 않았어.

하루 어법

- **접속사 뒤**에는 「주어+동사」로 이루어진 **절**이 오고, **전치사 뒤**에는 **명사(구)**가 온다.

의미	접속사(+주어+동사)	전치사(+명사/명사구)
~에도 불구하고	although	despite[in spite of]
~ 때문에	because	because of
~ 동안	while	during

Answers p. 25

네모 안에서 알맞은 것을 고르시오.

1 The researcher watched the students [during / while] they were playing sports.

researcher 조사원, 연구원

2 [Although / Despite] her husband didn't like animals, she decided to adopt a dog.

3 Prices for coffee beans were rising [because / because of] increasing demand.

demand 수요

4 I dumped the old toaster [because / because of] there was no room for the new microwave oven.

dump 버리다
room 공간
microwave oven 전자레인지

5 [Although / In spite of] her rudeness, I tried to be respectful to her.

rudeness 무례함

6 Lots of memories were evoked [during / while] our few days in Paris.

접속사 다음에는 절이 오고,
전치사 다음에는 명사(구)가 오지.

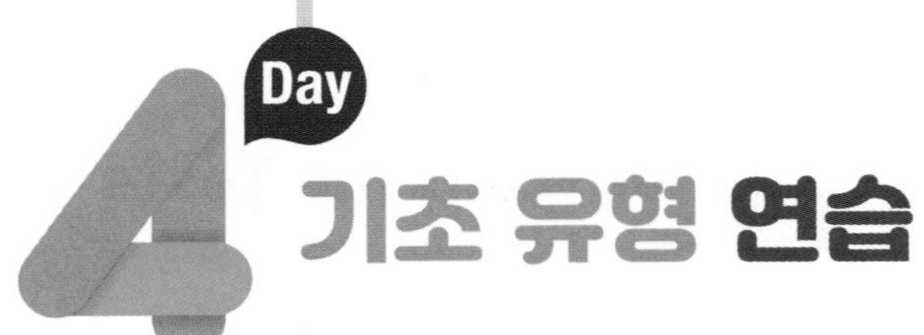

Day 4 기초 유형 연습

Words in Paragraphs

다음 글의 밑줄 친 부분 중, 문맥상 낱말의 쓰임이 적절하지 않은 것을 고르시오.

모의 응용

1 At a party, an Egyptian executive ① offered his Canadian guest joint partnership in a new business venture. The Canadian was ② delighted with the offer. He suggested that they meet again the next morning with their ③ respectful lawyers to finalize the details.

수능이라면 이렇게!

상황상 두 사람이 합작에 동의하고 세부 사항을 조율하기로 했다는 점에 유의한다.

Words and Grammar

executive 간부, 경영진
joint 합동의, 공동의
partnership 협력, 제휴
business venture 벤처 사업, 모험적인 사업
delighted with ~에 기뻐하는
finalize 마무리하다
- suggest(제안하다) 다음에 나오는 that절에서 that절의 동사는 동사원형이므로 meet가 온다.

수능 응용

2 Thick seed coats are often ① essential for seeds to survive in a natural environment. But under human management thick seed coats are unnecessary, as farmers ② evade responsibility for storing seeds away from moisture and predators. In fact, seeds with thinner coats were ③ preferred as they are easier to eat.

수능이라면 이렇게!

씨앗 껍질이 있는 이유, 그리고 씨앗과 인간과의 관계를 파악해야 한다.

Words and Grammar

seed 씨앗
coat 외피, 껍질
survive 살아남다, 생존하다
management 관리
unnecessary 불필요한
store 저장하다
moisture 습기
predator 포식자
prefer 선호하다
- to survive ~의 의미상 주어는 앞의 seeds이다.
- they = seeds with thinner coats

Answers p. 25

다음 글의 밑줄 친 부분 중, 어법상 틀린 것을 고르시오.

3 Storing medications ① correctly is very important because many drugs will become ineffective if they are not ② stored properly. The bathroom medicine cabinet is not a good place to keep medicine ③ because of the room's moisture and heat may damage drugs.

수능이라면 이렇게!

① 부사 correctly가 무엇을 수식하는지 파악한다.
② 앞의 be동사로 보아 수동태 구조이므로, 과거분사의 쓰임이 적절한지 파악한다.
③ because of 뒤의 구조를 확인한다.

Words and Grammar

medication 약, 약물
correctly 바르게
drug 약, 약물
ineffective 효과 없는
properly 적절하게
damage 손상시키다
● Storing은 동명사 주어로 단수 취급한다.

3주

4 When Keith began to play the piano, everybody immediately knew this ① was magic. Keith was unexpectedly producing the performance of a lifetime ② though the shortcomings of the piano. Keith really had to play that piano very ③ hard to get enough volume to get to the balconies.

수능이라면 이렇게!

① be동사의 수와 시제가 바른지 확인한다.
② though 뒤의 구조를 확인한다.
③ hard가 부사로 쓰였음에 유의한다.

Words and Grammar

unexpectedly 예상치 못하게
the performance of a lifetime 일생일대의 연주
shortcoming 단점
● to부정사가 목적을 나타내는 부사적 용법으로 쓰였고 「사역동사 get+목적어(enough volume)+목적격 보어(to get)」 구조이다.

Day 5 개념 원리 확인 ❶

// 그림을 보며 단어의 뜻을 익혀 보세요.

protect [prətékt]

v. ❶ 보호하다 ❷ 보장하다

a strong fence that **protects** my house
우리 집을 보호하는 튼튼한 울타리

prospect [prá:spekt]

n. ❶ 가망 ❷ 예상 ❸ 전망 ⓟ prospective *a.* 유망한

a volleyball player with good **prospects**
유망한 배구 선수

thorough [θə́:rou]

a. 철저한, 순전한, 빈틈없는

He was **thorough** in his work.
그는 일에 있어서 빈틈이 없었다.

through [θru:]

prep. ~을 통하여, ~을 지나 *ad.* 통과하여, 줄곧

This highway runs **through** the desert.
이 고속도로는 사막을 관통한다.

observe [əbzə́:rv]

v. ❶ 관찰[관측]하다 ❷ 목격하다

ⓟ observation *n.* ❶ 관찰, 관측 ❷ 논평

like to **observe** birds 새를 관찰하는 것을 좋아하다

preserve [prizə́:rv]

v. ❶ 지키다 ❷ 보존하다

❸ (식품을 가공처리하여) 보존[저장]하다

vegetables **preserved** in bottles 병에 저장된 채소

Answers p. 26

다음 빈칸에 알맞은 것을 고르시오.

1 Before refrigerators were invented, people ___________ meat by salting it.

① prospered ② preserved ③ presented

냉장고가 발명되기 전에 사람들은 소금을 쳐서 고기를 **보존했다.**

2 All of our staff are ready to provide ___________ patient care.

① through ② thought ③ thorough

우리 직원 모두는 **빈틈없는** 환자 간호를 제공할 준비가 되어 있습니다.

3 They built a fire to ___________ themselves from wild animals.

① protect ② prefer ③ prospect

그들은 야생 동물로부터 스스로를 **보호하기** 위해 불을 피웠다.

4 The thief ran away ___________ the back door.

① through ② thorough ③ threat

그 도둑은 뒷문을 **통해** 달아났다.

5 We can ___________ the planets with a telescope.

① observe ② preserve ③ deserve

우리는 망원경으로 행성들을 **관측할** 수 있다.

6 What ___________ does your company offer investors?

① protects ② prospects ③ presence

당신의 회사는 투자자들에게 어떤 **전망**을 제시합니까?

빈칸에 필요한 품사 또는 형태를 꼭 확인해야 해.

Tip

개념 원리 확인 ❷

병렬 구조에 유의하자!

❶ 나가서 놀고 싶다… ❷ 밖은 그만 보고 수업에 집중하렴.
❸ 나는 집중할 수도 없고 깨어 있을 수도 없어… ❹ 우리는 30쪽이 아니라 130쪽을 보는 중이란다.

하루 어법

- **등위접속사**가 연결하는 어구는 **문법적으로 기능이 동일**해야 한다.
  e.g. 명사 and 명사, 동사 but 동사, 형용사 or 형용사
- **상관접속사**가 연결하는 어구는 **문법적으로 기능이 동일**해야 한다.

both *A* and *B*	A와 B 둘 다	not *A* but *B*	A가 아니라 B
either *A* or *B*	A 아니면 B	neither *A* nor *B*	A와 B 둘 다 아닌
not only *A* but (also) *B*	A뿐만 아니라 B도 (= *B* as well as *A*)		

Answers p. 26

네모 안에서 알맞은 것을 고르시오.

1 He observed the lion catching a zebra but [lose / losing] it soon after.

zebra 얼룩말

2 She leaped from her bed with delight, running through the corridor and [shout / shouting].

leap from ~에서 펄쩍 뛰어 내리다
with delight 기쁨에 넘쳐
corridor 복도

3 The owl has excellent vision both [darkness / in the dark] and at a distance.

vision 시력
at a distance 멀리 떨어져

4 We should not only protect the forest but also [preserve / to preserve] it.

forest 숲

5 By sharing your stories with others, you can get opinions and [find / finding] solutions.

share 나누다, 공유하다
solution 해결책

6 Kids need to learn what's considered to be [appropriate / appropriately] or inappropriate behavior.

consider (~을 …로) 여기다
inappropriate 부적절한

어떤 부분이 병렬 구조로 연결되어 있는지 파악해야 해.

다음 글의 밑줄 친 부분 중, 문맥상 낱말의 쓰임이 적절하지 않은 것을 고르시오.

1 A bunch of bananas is made ① up of seven to nine hands, •each containing 10 to 20 fingers which grow slowly ② thorough a mass of tightly packed leaf covers. Just before they ③ ripen, bananas •are picked, packaged, and finally delivered to our local supermarkets.

수능이라면 이렇게!

어휘의 의미뿐 아니라 품사에도 유의한다.

Words and Grammar

bunch 다발, 묶음
be made up of ~으로 이루어지다
contain 포함하다
mass 덩어리, 무리
tightly 빽빽이
ripen (과일 등이) 익다
● each = each hand, 분사구문으로, 주어가 주절과 달라 생략되지 않았다.
● 수동태 문장으로 과거분사 picked, packaged, delivered가 등위접속사 and로 연결되어 있다.

2 We are all ① responsible for looking after the environment. We can learn from First Nations' people who have long known the importance of ② observing the environment for future generations. •What you inherited and ③ live with will become the inheritance of future generations.

*First Nations' people: 캐나다 원주민

수능이라면 이렇게!

비슷한 내용이 반복되고 있다는 것에 유의한다. 자연을 돌보아야 하며, 우리가 물려받은 것이 후세가 물려받을 유산이 될 것이라는 언급에서 캐나다 원주민이 중요하게 여겼던 것을 짐작할 수 있다.

Words and Grammar

responsible 책임이 있는
look after ~을 돌보다
generation 세대
inherit 물려받다, 상속받다
inheritance 유산
● What ~ with는 선행사를 포함하는 관계대명사 what이 이끄는 절로 문장의 주어 역할을 한다.

Answers p. 26

다음 글의 밑줄 친 부분 중, 어법상 틀린 것을 고르시오.

3 You cannot fit objects ① that occupied a 5,000-square-foot house in a 2,000-square-foot condominium. If you are ② moving to a smaller condominium, that's great. •Get rid of your belongings and ③ buying the condominium.

수능이라면 이렇게!

① 주격 관계대명사의 쓰임이 적절한지 확인한다.
② 앞의 be동사로 보아 진행형이고 능동태이므로 맥락상 쓰임이 맞는지 확인한다.
③ 등위접속사 and 앞에 같은 문법적 기능을 가진 어구가 있는지 확인한다.

Words and Grammar

fit ~을 (…에 끼워) 맞추다
object 물체, 물건
occupy 차지하다
condominium 공동 주택
get rid of ~을 제거하다
belonging 소지품
• 명령문은 동사원형으로 시작한다.

4 One person in a pair is ① given some money. She then has the opportunity to offer some amount of ② it to her partner. The partner only has two options. He can take •what's offered or ③ refused to take anything. There's no room for negotiation.

수능이라면 이렇게!

① 앞의 be동사로 보아 수동태 구조이므로, 과거분사의 쓰임이 바른지 파악한다.
② 지시대명사가 무엇을 가리키는지 파악하여 수가 일치하는지 확인한다.
③ 등위접속사 or 앞에 같은 문법적 기능을 가진 어구가 있는지 확인한다.

Words and Grammar

pair 짝
option 선택권, 옵션
refuse 거절하다
room 여지, 공간
negotiation 협상
• what은 선행사를 포함하는 관계대명사로 쓰였다.

다음 글의 밑줄 친 부분 중, 문맥상 낱말의 쓰임이 적절하지 않은 것을 고르시오.

1

The best moments in our lives are not the passive and relaxing times — although such experiences can also be enjoyable, if we have worked hard to ① attain them. The best moments usually occur when a person's body or mind is stretched to its limits in a voluntary effort to accomplish something ② difficult. ③ Optimal experience is thus something that we make happen. For a sprinter, it could be trying to break his own record; for a violinist, mastering an ④ uncomplicated musical passage. For each person there are thousands of opportunities to ⑤ expand ourselves.

2

Even though you are not materialistic, you can form attachments to ① certain clothes. Like old songs, clothes can ② evade both valuable and painful memories. An ③ impractical white scarf might be pulled out of a donation bag at the last minute because of the memories of its elegant owner. And a ripped T-shirt might be ④ rescued from the bin because of the rock band's name — your favorite band as a teenager — on it. Clothes record personal history for us the ⑤ same way that fossils record time for archaeologists.

*materialistic: 물질(만능)주의적인 **archaeologist: 고고학자

Answers p. 27

// 다음 글의 밑줄 친 부분 중, 어법상 틀린 것을 고르시오.

3

Psychologists who study giving behavior ① have noticed that some people give large amounts to one or two charities, while others ② give small amounts to many charities. Those who donate to one or two charities seek evidence about what the charity is doing and ③ what it is really having a positive impact. If the evidence shows that the charity is really helping others, they make a large donation. Those who give small amounts to many charities are not so interested in whether they are really ④ helping others. Knowing that they are giving makes ⑤ them feel good, regardless of the impact of their donation.

4

Not all organisms are able to find enough food ① to survive. Starvation is part of the process of selection ② by which biological evolution functions. It helps filter out those less fit to survive, those poor in finding food for ③ themselves and their young. In some circumstances, it may pave the way for genetic variants to take hold in the population of a species and eventually ④ allow the emergence of a new species. ⑤ What some organisms must starve in nature is deeply sad. However, starvation can bring greater diversity.

*starvation: 기아, 굶주림 **genetic variant: 유전적 변종

A 만화를 읽고, 표시된 단어의 우리말 뜻에 해당하는 것에 체크하시오.

1 distraction
- ☐ 집중을 방해하는 것
- ☐ 명소

2 rationalize
- ☐ 깨닫다
- ☐ 합리화하다

3 reflect
- ☐ 숙고하다
- ☐ 거절하다

4 through
- ☐ ~을 통해
- ☐ 완전히

Answers p. 28

B 단어 카드에서 알맞은 말을 찾아 만화를 완성하시오.

extinct	prospects	observed	preserved
attractions	complement	compliment	extract

3주

C 색이 있는 부분과 색이 없는 부분을 연결하여 단어를 만들고 상자 안에 쓰시오.

색이 있는 부분	색이 없는 부분
r e a l	e c t i v e
r e s p	r m i n e
r e s p	r l i e
u n d e	e c t f u l
u n d e	i n
d e p i	i z e
r e m a	l i m e n t
c o m p	c t

만든 단어

D 위에서 만든 단어 중 다음 힌트로 연상할 수 있는 것을 찾으시오.

Answers p. 29

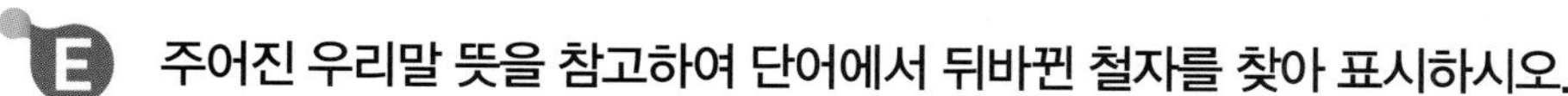

E 주어진 우리말 뜻을 참고하여 단어에서 뒤바뀐 철자를 찾아 표시하시오.

1 | d | i | t | s | r | a | c | t | i | o | n |

집중을 방해하는 것

2 | e | x | t | r | a | t | c |

추출하다

3 | r | e | f | e | l | c | t |

숙고하다

4 | a | t | t | i | a | n |

성취하다

5 | p | r | e | c | i | d | t |

예측하다

6 | a | d | a | t | p |

적응하다, 개작[각색]하다

7 | e | v | e | d | a |

회피하다

8 | t | h | o | r | u | o | g | h |

철저한, 순전한

3주

F 알맞은 단어 카드를 골라 문장을 완성하시오.

1 He didn't own the store but
- ☐ manage
- ☐ managed

it.

2 I'm looking for the child
- ☐ who
- ☐ whose

scarf is red.

3 Will you visit the town
- ☐ where
- ☐ which

the movie was filmed?

4 Did you hear the rumor
- ☐ that
- ☐ which

the actor got married?

5 All the rooms are booked
- ☐ while
- ☐ during

the holiday season.

6 When the train starts, sit back and
- ☐ relax
- ☐ relaxing

enjoying the outside view.

Answers p. 29

G 다음 대화에서 어법상 <u>틀리게</u> 말한 사람의 이름을 쓰고, 문장을 바르게 고쳐 다시 쓰시오.

해석

1

Andy: Can you tell me the reason why you didn't answer my message?

Amy: Sorry, I thought what it was just a joke.

(1) 잘못 말한 사람 : ______________________

(2) 바르게 고친 문장 : ______________________

Andy: 왜 내 메시지에 답하지 않았는지 이유를 말해 줄 수 있어?

Amy: 미안해, 난 그게 그냥 농담이라고 생각했어.

2

Brian: Neither vacuuming nor sing a song is allowed after 9 p.m.

Beatrice: But the man who lives downstairs never follows the rule.

(1) 잘못 말한 사람 : ______________________

(2) 바르게 고친 문장 : ______________________

Brian: 밤 9시 이후에는 진공청소기 사용과 노래 부르기가 둘 다 금지돼.

Beatrice: 하지만 아래층에 사는 남자는 그 규칙을 절대 따르지 않아.

3

Chris: Did you hear the news which the hurricane hit our hometown?

Kira: Yes, I heard. I was so surprised that I didn't react immediately at first.

(1) 잘못 말한 사람 : ______________________

(2) 바르게 고친 문장 : ______________________

Chris: 너 허리케인이 우리 고향을 덮쳤다는 소식 들었니?

Kira: 응, 들었어. 난 너무 놀라서 처음엔 바로 반응하지 못했어.

Week 4

이번 주에는 무엇을 공부할까? ①

만화를 보며 단어와 뜻을 연결해 보세요.

1

① scarcity · · 생존
② survival · · 부족, 결핍

2

① complaint · · 불만
② regulation · · 규정, 통제

이번 주에는 접미사가 붙은 파생어를 배워봅시다.

• Answers p. 30

3

❶ pressure •		• 격려
❷ encouragement •		• 압박(감)

4

❶ disastrous •		• 처참한
❷ cooperative •		• 협력하는

Week 4 이번 주에는 무엇을 공부할까? ②

이번 주에는 대명사, 형용사/부사, 가정법, 특수 구문 등에 대해 배워봅시다.

POINT 1
- 대명사는 앞에 나온 명사를 대신하는 말로 명사와 수, 격, 인칭을 일치시켜야 해요.
- 형용사는 명사를 수식하거나 보어로 쓰이고, 부사는 동사/형용사/부사/문장 전체를 수식해요.

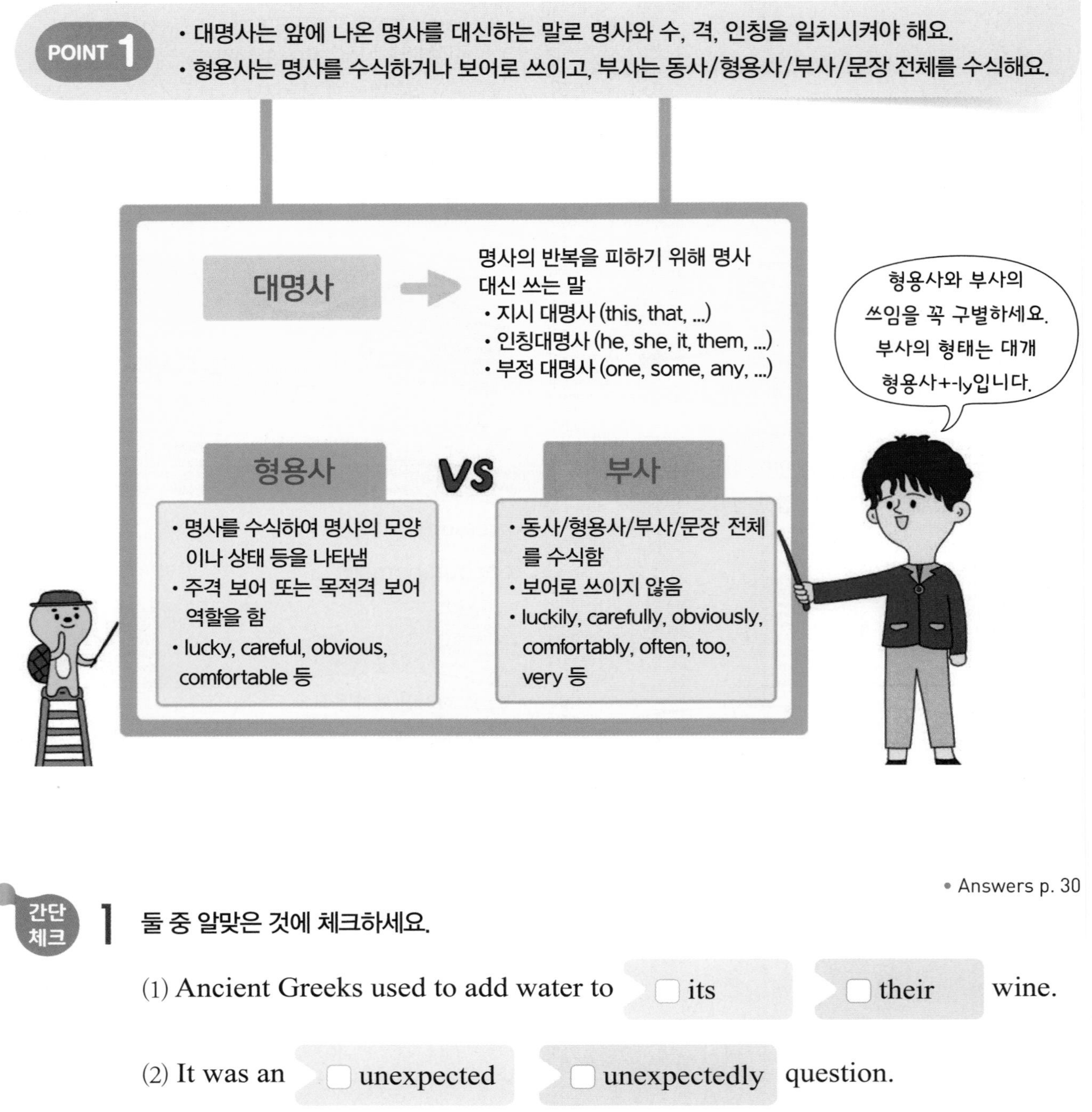

대명사
명사의 반복을 피하기 위해 명사 대신 쓰는 말
• 지시 대명사 (this, that, ...)
• 인칭대명사 (he, she, it, them, ...)
• 부정 대명사 (one, some, any, ...)
형용사
VS
부사
• 명사를 수식하여 명사의 모양이나 상태 등을 나타냄
• 주격 보어 또는 목적격 보어 역할을 함
• lucky, careful, obvious, comfortable 등
• 동사/형용사/부사/문장 전체를 수식함
• 보어로 쓰이지 않음
• luckily, carefully, obviously, comfortably, often, too, very 등
형용사와 부사의 쓰임을 꼭 구별하세요. 부사의 형태는 대개 형용사+-ly입니다.

• Answers p. 30

간단 체크 **1** 둘 중 알맞은 것에 체크하세요.

(1) Ancient Greeks used to add water to ☐ its ☐ their wine.

(2) It was an ☐ unexpected ☐ unexpectedly question.

(3) They painted as ☐ similar ☐ similarly as possible.

(4) The host family made me ☐ comfortable ☐ comfortably .

POINT 2

- 가정법 과거는 현재의 사실과 반대되는 일을 가정하고, 가정법 과거완료는 과거의 사실과 반대되는 일을 가정해요.
- 부사구나 부정어가 문두에 오면 주어와 동사의 어순이 바뀌는데, 이를 도치라고 해요.

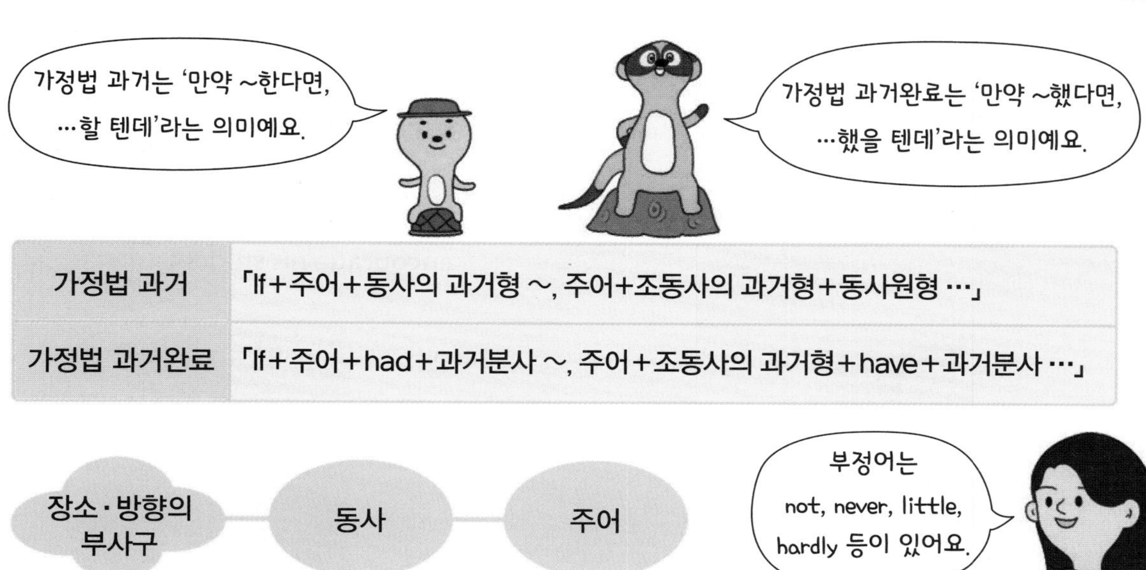

가정법 과거	「If+주어+동사의 과거형 ~, 주어+조동사의 과거형+동사원형 …」
가정법 과거완료	「If+주어+had+과거분사 ~, 주어+조동사의 과거형+have+과거분사 …」

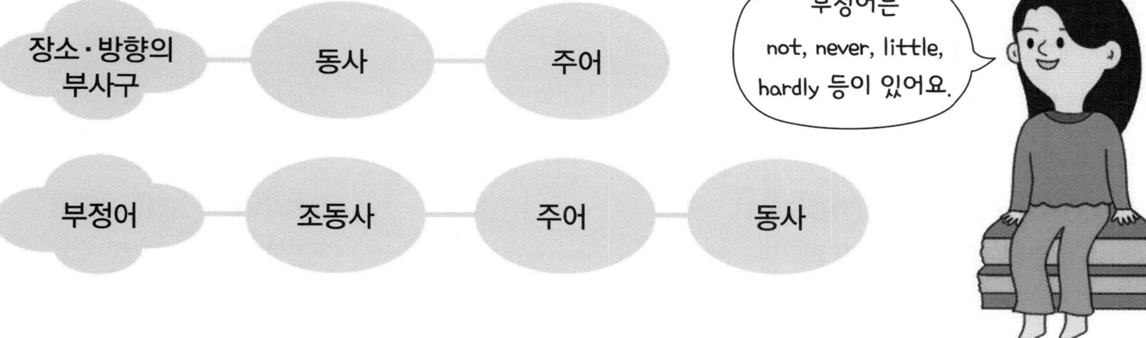

• Answers p. 30

2 둘 중 알맞은 것에 체크하세요.

(1) If I ☐ win ☐ won the lottery, I would travel around the world.

(2) I could have been hurt if I ☐ hadn't ☐ haven't noticed the sign.

(3) Never ☐ saw I ☐ did I see such a beautiful sunset.

(4) On the hill ☐ was an old castle ☐ an old castle was .

개념 원리 확인 ①

그림을 보며 단어의 뜻을 익혀 보세요.

agree – agreement
[əgríː] [əgríːmənt]

v. ❶ 동의하다 ❷ 의견이 일치하다 – n. 동의

agree with someone 누군가에게 동의하다

encourage – encouragement
[inkə́ːridʒ] [inkə́ːridʒmənt]

v. 격려하다 – n. 격려(가 되는 것)

encourage his student 그의 학생을 격려하다

complain – complaint
[kəmpléin] [kəmpléint]

v. 불평하다 – n. 불평, 불만

complain bitterly 심하게 불평하다

survive – survival
[sərváiv] [sərváivəl]

v. 생존하다 – n. 생존

survive a shipwreck 난파에서 생존하다

infinite – infinity
[ínfənət] [infínəti]

a. 무한한 – n. 무한성

an **infinite** number of stars 무한한 수의 별

vulnerable – vulnerability
[vʌ́lnərəbl] [vʌ̀lnərəbíləti]

a. (~에) 취약한, 연약한 – n. 취약성

vulnerable to viruses 바이러스에 취약한

Answers p. 30

다음 빈칸에 알맞은 것을 고르시오.

1 My parents ___________ me to keep trying and never give up.

① managed ② discouraged ③ encouraged

나의 부모님은 내가 계속 노력하고 결코 포기하지 않도록 **격려하셨다.**

2 Babies are particularly ___________ to the flu.

① enable ② vulnerable ③ comfortable

아기들은 특히 독감에 **취약하다.**

3 He made a ___________ about the noise.

① complaint ② complement ③ company

그는 소음에 대해 **불평**했다.

4 Unfortunately, no one ___________ the car accident.

① survived ② surprised ③ surrounded

불행히도, 아무도 자동차 사고에서 **살아남지** 못했다.

5 The Internet gives us an ___________ amount of information.

① infinity ② infinite ③ individual

인터넷은 우리에게 **무한한** 양의 정보를 준다.

6 After long discussion, we finally ___________ on a name for our new dog.

① agreed ② attended ③ encouraged

긴 논의 끝에, 우리는 마침내 우리의 새로운 개의 이름에 대한 **의견이 일치했다.**

Tip
-ment, -(n)t, -al, -ity는 모두 명사형 접미사야.

Day 1 개념 원리 확인 ❷

대명사를 정확히 쓰자!

❶ 개들은 그들의 뛰어난 후각으로 유명해. ❷ 개들의 후각은 사람의 것(후각)보다 훨씬 더 민감하다고 해.
❸ 개들은 서로 소개하기 위해 코를 킁킁거려. ❹ 와, 너는 개에 관해 많이 알고 있구나.

하루 어법

- **대명사**는 앞에 나온 명사를 대신하는 말이므로 **명사와 수, 격, 인칭을 일치**시켜야 한다.
- 지시대명사 that/those는 비교되는 대상(명사)이 반복되어 쓰이는 것을 피할 때 쓴다.
- those는 '~한 사람들'이라는 의미로도 쓰인다.
- **재귀대명사**는 **주어와 목적어가 같을 때** 쓰며, 형태는 「**대명사의 소유격**[**목적격**]+**-self**[**selves**]」이다.

Answers p. 30

네모 안에서 알맞은 것을 고르세요.

1 The twins agreed to help each other and share [its / their] feelings.

share 공유하다

2 The bones of birds are different from [that / those] of other animals.

bone 뼈

3 [That / Those] who always complain will never succeed.

4 The population of China is almost 10 times larger than [that / those] of Russia.

population 인구

5 Camouflage is how animals protect [them / themselves] to survive in their own habitats.

camouflage (보호색 등을 통한 동물들의) 위장
protect 보호하다
habitat 서식지

6 Music is used to encourage children to express [itself / themselves] through dancing and movement.

express 표현하다

대명사가 지칭하는 명사가 무엇인지 잘 찾아봐.

다음 글의 네모 안에서 알맞은 것을 고르시오.

1 Back in the 1870's, Sholes & Co. was a leading manufacturer of typewriters at the time. It received many [complaints / compliments] from users about typewriter keys sticking together if the operator went too fast. In response, management •asked its engineers to figure out a way to prevent this from happening.

수능이라면 이렇게!

이어지는 내용이 타자기의 문제점에 대한 것인지 장점에 대한 것인지 확인한다.

Words and Grammar

manufacturer 제조업체
typewriter 타자기
stick together (서로 붙어 있어서) 엉키다
operator (장비·기계를) 조작[운전]하는 사람
in response 그에 대한 반응으로
prevent *A* from -ing A가 ~하는 것을 막다[예방하다]
● ask는 목적격 보어로 to부정사를 취한다.

2 When people are not happy in their work, they tend to want more money because they are unfulfilled by their work. •Even if your work does not satisfy you, it puts food on the table for you and your loved ones. Working for [survival / self-esteem] is not ideal, but you do what you have to do to live.

수능이라면 이렇게!

앞 문장 Even if ~ your loved ones.에서 일을 하는 목적을 찾아 본다.

Words and Grammar

tend to ~하는 경향이 있다
unfulfilled 성취감을 못 느끼는
satisfy 만족시키다
self-esteem 자존감
ideal 이상적인
● even if는 '비록 ~라 하더라도'라는 의미로 양보의 부사절을 이끈다.

Answers p. 30

다음 글의 밑줄 친 부분 중, 어법상 틀린 것을 고르시오.

학평 응용

3 The old saying "I'll sleep when I'm dead" is unfortunate. ① Adopt this mind-set, and you will be dead sooner and the quality of that life will be worse. Sadly, human beings are in fact the only species ② that will deliberately deprive ③ them of sleep without legitimate gain.

수능이라면 이렇게!

① 동사원형으로 시작하는 명령문인지 확인한다.
② 주격 관계대명사의 쓰임이 맞는지 판단한다.
③ 주어와 동사의 목적어의 대상이 무엇인지 확인한다.

Words and Grammar

adopt 채택하다
mind-set 사고방식
deliberately 의도적으로
deprive *A* of *B* A에게서 B를 빼앗다
legitimate 합당한
gain 이익
● 부사 deliberately가 동사 deprive를 수식한다.

수능 응용

4 The first thing I notice upon ① entering this garden is that the ankle-high grass is greener than ② those on the other side of the fence. Dozens of wildflowers of countless varieties cover the ground to both sides of the path. Creeping plants cover the polished silver gate and the sound of bubbling water ③ comes from somewhere.

수능이라면 이렇게!

① 동명사의 관용적 표현이 바르게 쓰였는지 판단한다.
② 대명사 those가 지칭하는 명사가 복수가 맞는지 확인한다.
③ 접속사 and로 두 문장이 연결되었음에 유의하여 주어와 수가 일치하는지 확인한다.

Words and Grammar

dozens of 많은, 수십의
wildflower 야생화
variety (식물 등의) 품종
creeping plant 덩굴 식물
polished 윤[광택]이 나는
bubbling 거품이 이는
● Dozens of ~ varieties가 주어부이고 cover가 동사이다.

Day 2 개념 원리 확인 ①

// 그림을 보며 단어의 뜻을 익혀 보세요.

prosper – prosperity
[prɑ́:spər] [prɑ:spérəti]
v. 번창하다 – *n.* 번창
Businesses are **prospering.** 사업이 번창하고 있다.

scarce – scarcity
[skers] [skérsəti]
a. 부족한, 드문 – *n.* 부족, 결핍
Food was **scarce.** 음식이 부족했다.

diverse – diversity
[daivə́:rs] [daivə́:rsəti]
a. 다양한 – *n.* 다양성
diverse cultures 다양한 문화

press – pressure
[pres] [préʃər]
v. 누르다 – *n.* 압박(감), 압력
press an elevator button 엘리베이터 버튼을 누르다

consistent – consistency
[kənsístənt] [kənsístənsi]
a. 한결같은, 일관된 – *n.* 일관성, 꾸준함
a **consistent** pattern 일관적인 패턴

depend – dependency
[dipénd] [dipéndənsi]
v. 의존[의지]하다 – *n.* 의존
depend on a friend 친구에게 의지하다

Answers p. 31

다음 빈칸에 알맞은 것을 고르시오.

1 Many people feel stress and ____________ from their jobs.

① treasure ② pleasure ③ pressure

많은 사람은 그들의 일에서 스트레스와 **압박감**을 느낀다.

2 During the war, food and clothing were ____________.

① scarce ② scary ③ scarcely

전쟁 동안, 음식과 옷이 **부족했**다.

3 Our ability to think creatively helps companies ____________.

① fail ② destroy ③ prosper

창의적으로 생각하는 우리의 능력은 회사가 **번창하**도록 돕는다.

4 Students learn ____________ subjects at school from music to math.

① diverse ② necessity ③ diversity

학생들은 학교에서 음악부터 수학에 이르기까지 **다양한** 과목들을 배운다.

5 We should reduce ____________ on fossil fuels and find alternative energy sources.

① accuracy ② dependency ③ confidence

우리는 화석 연료에 대한 **의존**을 줄이고 대체 가능한 에너지 자원을 찾아야 한다.

6 People are criticizing that the government lacks ____________ in its policies.

① confusion ② consistency ③ tendency

사람들은 정부의 정책에 **일관성**이 부족하다고 비판하고 있다.

접미사 -ency는 주로
어떤 상태나 자질을 나타내.

Tip

4 주

개념 원리 확인 ❷

형용사와 부사의 쓰임을 구분하자!

❶ 새 옷은 항상 나를 행복하게 만들어. ❷ 내 사진 잘 찍어줘. ❸ 난 달라 보이고 싶어. ❹ 걱정하지 마.
❺ 오, 너 완전히 달라 보이는구나. ❻ 확실히, 오늘은 일진이 안 좋군.

하루 어법

- **형용사**는 **명사를 수식**하거나 주어나 목적어로 쓰인 명사를 설명하는 **보어**로 쓰인다.
- **부사**는 **동사**, **형용사**, **부사**, **문장 전체를 수식**한다.
- look, feel, sound, taste, smell 등의 감각 동사 뒤에 주격 보어로 형용사가 온다.
- become, remain, stay, seem 등의 동사 뒤에 주격 보어로 형용사가 온다.

Answers p. 31

네모 안에서 알맞은 것을 고르시오.

1 The man has [consistent / consistently] denied his guilt.

deny 부인하다
guilt 죄, 유죄

2 The government is under [strong / strongly] pressure to change the law.

government 정부

3 The amusement park is [easy / easily] accessible by car.

accessible 접근이 가능한

4 Most children hate medicine because it tastes [bitter / bitterly].

5 Teens have become too [dependent / dependently] on cell phones.

dependent 의존하는

6 Some people think that prosperity makes them [confident / confidently].

confident 자신감 있는

부사는 보어로
쓰일 수 없어.

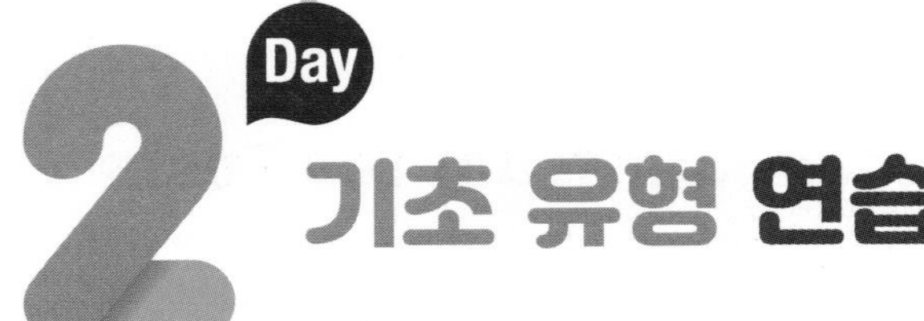

Day 2 기초 유형 연습

Words in Paragraphs

다음 글의 밑줄 친 부분 중, 문맥상 낱말의 쓰임이 적절하지 않은 것을 고르시오.

1 It's ① well-known that many students use caffeine to stay up late to study, or •to stay ② focused with little sleep. In fact, some experts report that caffeine ③ scarcity among high school students has steadily increased over the past five years.

수능이라면 이렇게!

많은 학생들이 집중력을 유지하기 위한 수단으로 카페인을 사용하고 있다고 한 점에 유의한다.

Words and Grammar

well-known 잘 알려진
expert 전문가
steadily 꾸준히
● 등위접속사 or로 연결되어 앞의 to stay up late ~와 병렬 구조를 이루고 있다.

2 Hypothesis is a tool which can cause trouble •if not used ① properly. We must be ready to abandon or modify our hypothesis •as soon as it is shown to be ② consistent with the facts. This is not as easy as it sounds. It is not at all ③ rare for researchers to adhere to their broken hypotheses, turning a blind eye to contrary evidence.

수능이라면 이렇게!

어떤 경우에 가설을 폐기하거나 수정해야 하는지 생각해 본다.

Words and Grammar

hypothesis 가설
properly 적절하게
abandon 폐기하다
modify 수정하다
adhere to ~에 집착하다
turn a blind eye to ~을 (보고도) 못 본 체하다
contrary 반대되는
● if it is not used ~에서 it is가 생략된 형태이다.
● as soon as는 '~하자마자'라는 의미로 시간의 부사절을 이끈다.

Answers p. 32

다음 글의 밑줄 친 부분 중, 어법상 틀린 것을 고르시오.

3 We want to •stop watching so much TV, but ① demonstrably we also want to watch lots of TV. So what we really want, it seems, ② is to •stop wanting. We need to see that habits are responses to needs. This sounds ③ obviously, but countless efforts at habit change ignore its implications.

수능이라면 이렇게!

① 부사가 수식하는 말이 무엇인지 파악한다.
② 주어와 동사의 수가 일치하는지 확인한다.
③ 감각 동사의 보어로 형용사와 부사 중 어느 것이 와야 하는지 판단한다.

Words and Grammar

demonstrably 명백히
response 반응
obviously 명백하게
countless 수많은
ignore 무시하다
implication 영향; 함축
● 「stop+동명사」는 '~하는 것을 멈추다'라는 의미이다.

4주

4 Sleep deprivation ① has a great influence on the immune system. Students and teachers are all sleep-deprived from the ② constant stress of the first semester, and it begins to catch up with us. Our immune systems are not functioning as ③ effective as they •do when we are well rested, and we get sick.

수능이라면 이렇게!

① 단수 주어인지 복수 주어인지 파악한다.
② 뒤에 명사가 있다는 점에 유의한다.
③ 밑줄 친 단어가 수식하고 있는 말을 찾아야 한다.

Words and Grammar

sleep deprivation 수면 부족
immune system 면역 체계
constant 끊임없는
catch up with (문제가) 결국 ~의 발목을 잡다
function 기능하다
● do는 동사의 반복 사용을 피하기 위해 쓴 대동사이며 function을 의미한다.

Day 3 개념 원리 확인 ❶

// 그림을 보며 단어의 뜻을 익혀 보세요.

restrict – restriction
[ristríkt] [ristríkʃən]

v. (크기·양·범위 등을) 제한[한정]하다 – *n.* 제한, 규제

restrict eating times 먹는 시간을 제한하다

precise – precision
[prisáis] [prisíʒən]

a. 정확한 – *n.* 정확(성)

a **precise** target 정확한 목표물

recognize – recognition
[rékəgnàiz] [rèkəgníʃən]

v. ❶ 알아보다 ❷ 인정하다 – *n.* ❶ 인식 ❷ 인정

She **recognized** him immediately.
그녀는 그를 즉시 알아보았다.

regulate – regulation
[régjulèit] [règjuléiʃən]

v. ❶ 규제[통제]하다 ❷ 조절하다 – *n.* 규제, 통제

regulate the traffic 교통을 통제하다

reduce – reduction
[ridú:s] [ridʌ́kʃən]

v. 줄이다, 줄어들다 – *n.* 감소, 축소

reduce waste 쓰레기를 줄이다

destroy – destruction
[distrɔ́i] [distrʌ́kʃən]

v. 파괴하다 – *n.* 파괴, 파멸

destroy the city 도시를 파괴하다

Answers p. 32

다음 빈칸에 알맞은 것을 고르시오.

1 Doing yoga can help you __________ stress.

① reduce ② request ③ require

요가를 하는 것은 여러분이 스트레스를 **줄이**도록 도와줄 수 있다.

2 The __________ location of the ship was discovered in 1985.

① precise ② precision ③ precious

그 배의 **정확한** 위치는 1985년에 발견되었다.

3 Julia has achieved __________ and respect as an artist.

① function ② recognition ③ resolution

Julia는 예술가로서 **인정**과 존경을 받았다.

4 Humans sweat to __________ their body heat.

① regulate ② reflect ③ represent

인간은 체온을 **조절하**기 위해 땀을 흘린다.

5 Many cities __________ smoking in public places, including offices or restaurants.

① receive ② restore ③ restrict

여러 도시에서 사무실이나 음식점을 포함한 공공장소에서의 흡연을 **제한한다**.

6 The __________ of forests can lead to more flooding.

① construction ② destruction ③ instruction

숲의 **파괴**는 더 많은 홍수로 이어질 수 있다.

-(t)ion은 명사형 접미사야.

Tip

가정법 과거와 가정법 과거완료의 쓰임을 구분하자!

❶ 넌 마치 괴물이라도 본 것 같은 얼굴이구나. ❷ 너 목욕할 시간이라는 것을 알고 있지, 그렇지?
❸ 내게 초능력이 있다면 눈에 보이지 않게 될 텐데. ❹ 내가 더 빨리 달렸더라면 나는 그에게서 달아날 수 있었을 텐데.

하루 어법

- **가정법 과거**는 **현재 사실과 반대**되거나 실현 가능성이 거의 없는 일을 가정할 때 쓴다.
- **가정법 과거완료**는 **과거의 사실과 반대**되는 일을 가정할 때 쓴다.

가정법 과거	「If+주어+동사의 과거형 ~, 주어+조동사의 과거형+동사원형 …」 * if절의 동사가 be동사일 때는 주어에 관계없이 were를 쓰는 것이 원칙이다.	만약 ~한다면, …할 텐데
가정법 과거완료	「If+주어+had+과거분사 ~, 주어+조동사의 과거형+have+과거분사 …」	만약 ~했다면, …했을 텐데

- **as if 가정법 과거**는 **주절과 같은 시점의 사실과 반대**되는 상황을 가정할 때 쓴다.
- **as if 가정법 과거완료**는 **주절보다 앞선 시점의 사실과 반대**되는 상황을 가정할 때 쓴다.

as if 가정법 과거	「as if+주어+were/동사의 과거형 ~」	마치 ~인 것처럼
as if 가정법 과거완료	「as if+주어+had+과거분사 ~」	마치 ~이었던 것처럼

Answers p. 32

네모 안에서 알맞은 것을 고르시오.

1 If I [know / knew] the precise location of the farm, I would tell you.

location 위치

2 If she [recognized / had recognized] the problem sooner, she could have fixed it.

fix 해결하다

3 If Emma had more time, she [can / could] go on a vacation.

4 The accident could have been prevented if the driver [obeyed / had obeyed] the traffic regulations.

prevent 예방하다
obey 지키다, 복종하다

5 Kevin talks as if he [went / had been] to Europe before.

6 Amy is not a celebrity, but she acts as if she [is / were] a celebrity.

celebrity 유명인사

가정법에서는 현재 사실을 반대로 가정하는지
과거 사실을 반대로 가정하는지 꼭 확인해야 해.

기초 유형 연습

다음 글의 밑줄 친 부분 중, 문맥상 낱말의 쓰임이 적절하지 않은 것을 고르시오.

1 During the run-up to Christmas, increasing numbers of ads ① concern toys and games. ●Such practices are believed to put ② pressure on parents to yield to what the media have named "pester power." This has led to calls for legislation to ③ encourage advertising in Europe and the United States.

*pester power: 부모에게 떼를 써서 물건을 구매하게 하는 힘
**legislation: 법률의 제정

수능이라면 이렇게!

아이들을 겨냥한 광고들에 문제점이 있을 때 어떤 법률 제정을 요구할지 생각해 본다.

Words and Grammar

run-up 준비
concern (~에) 관한 것이다
yield 굴복하다, 항복하다
name 별명을 붙이다
● 가주어 it을 사용하여 It is believed that such practices put pressure ~.로 바꿔 쓸 수 있다.

2 Until the 1920's, there were only three ① competitive swimming strokes — freestyle, backstroke, and breaststroke. In the 1920's, a new stroke ② evolved from experiments with the breaststroke. This new stroke — now known as the 'butterfly' — won ③ restriction ●as the fourth swimming stroke, and became an Olympic event in 1956.

수능이라면 이렇게!

'접영'이라는 새로운 영법이 1956년에 올림픽 종목이 되었다는 내용이 이어지고 있음에 유의한다.

Words and Grammar

competitive 경쟁하는
swimming stroke 수영 영법
freestyle 자유형
backstroke 배영
breaststroke 평영
evolve from ~에서 발전하다
experiment 실험
● as가 전치사로 쓰여 '(자격·기능 등이) ~로(서)'라는 의미이다.

Answers p. 33

다음 글의 밑줄 친 부분 중, 어법상 틀린 것을 고르시오.

3 Clauss saw a pair of swimmers ① splashing. Grabbing his surfboard, he ran into the waves. Clauss managed to reach one of the two and pick him up on his surfboard. He dived into the chilly water seven times, looking for ② the other boy but had no luck. A policeman said that if Clauss ③ haven't reacted so quickly, there would have been two drownings instead of one.

수능이라면 이렇게!

① 지각동사의 목적격 보어로 알맞게 쓰였는지 판단한다.
② 정해진 두 명 중 나머지 한 명을 가리키는 말이 맞는지 판단한다.
③ 과거에 있었던 사실을 반대로 가정하고 있음에 유의한다.

Words and Grammar

splash (물속에서) 첨벙거리다, 물을 튀기다
grab 움켜쥐다[꽉 잡다]
chilly 차가운
react 반응하다
drowning 익사자
● manage(가까스로 ~하다)는 to부정사를 목적어로 취하는 동사이다.

4 Conan Doyle once ① paid a visit to George Meredith, the novelist, when Meredith was old and weak. The two men were walking up a path and Conan Doyle heard the old novelist fall behind him. He judged by the sound ② which the fall was a mere slip and could not have hurt Meredith. Therefore, he did not turn as if he ③ had heard nothing.

수능이라면 이렇게!

① 문장의 본동사가 오는 자리인지 확인한다.
② 뒤에 이어지는 절이 완전한 문장임에 유의한다.
③ 주절의 시점보다 더 이전의 일을 가정하고 있음에 유의한다.

Words and Grammar

pay a visit 방문하다
novelist 소설가
judge 판단하다
mere 단순한
slip 미끄러짐
● George Meredith와 the novelist는 동격이다.

Day 4 개념 원리 확인 ❶

그림을 보며 단어의 뜻을 익혀 보세요.

construct – constructive
[kənstrʌ́kt] [kənstrʌ́ktiv]

v. ❶ 건설하다 ❷ 구성하다 – *a.* 건설적인

construct a new building 새 건물을 건설하다

cooperate – cooperative
[kouɑ́:pərèit] [kouɑ́:pərətiv]

v. 협력하다 – *a.* 협력적인

cooperate with each other 서로 협력하다

support – supportive
[səpɔ́:rt] [səpɔ́:rtiv]

v. ❶ 받치다, 지탱하다 ❷ 지지[지원]하다 – *a.* 지지하는

support the ladder 사다리를 받치다

response – responsive
[rispɑ́:ns] [rispɑ́:nsiv]

n. ❶ 대답, 답장 ❷ 반응 – *a.* 즉각 반응하는

give a **response** 답장하다

resist – resistant
[rizíst] [rizístənt]

v. 저항[반대]하다 – *a.* 저항력 있는, ~에 잘 견디는

resist not to be dragged
끌려가지 않기 위해 저항하다

solitude – solitary
[sɑ́:lətu:d] [sɑ́:ləteri]

n. 고독 – *a.* 혼자 하는, 혼자서 잘 지내는

spend one's free time in **solitude**
여가를 한적하게 보내다

Answers p. 34

다음 빈칸에 알맞은 것을 고르시오.

1 The charity exists to __________ children who are disabled.

① support ② oppose ③ resist

그 자선 단체는 장애가 있는 아이들을 **지원하**기 위해 존재한다.

2 I wrote to my friend two weeks ago but haven't gotten a __________ yet.

① response ② respect ③ regret

나는 내 친구에게 2주일 전에 편지를 썼는데 아직 **답장**을 받지 못했다.

3 A team is effective when the team members __________ with each other.

① contain ② complete ③ cooperate

팀원들이 서로 **협력할** 때 팀은 효율적이다.

4 The techniques have been used to make crops __________ to insects.

① constant ② receptive ③ resistant

그 기술들은 농작물이 해충에 **잘 견디**도록 만드는 데 사용되어 왔다.

5 By breaking your old bad habits, you can lead more __________ and successful lives.

① descriptive ② constructive ③ destructive

여러분의 오래된 나쁜 습관들을 고침으로써 여러분은 더 **건설적이**고 성공적인 삶을 이끌 수 있다.

6 Brian and his brother are very different. While Brian is a sociable boy, his brother is a __________ boy.

① friendly ② solitary ③ voluntary

Brian과 그의 남동생은 매우 다르다. Brian이 사교적인 소년인 반면 그의 남동생은 **혼자 있기를 좋아하는** 소년이다.

-ive, -ant, -ary는 형용사형 접미사야.

Tip

4 주

도치 구문의 어순을 알자!

❶ 전 제가 뉴욕을 여행할 거라고 생각도 못 했어요. 전 너무 신이 나요! ❷ 나도 그래.
❸ 우리 앞에 자유의 여신상이 있어. ❹ 정말 멋져요!

하루 어법

- **주어와 동사의 위치가 바뀌는 것을 도치**라고 한다. 주로 부정어나 부사구 등을 강조하기 위해 문장의 맨 앞에 쓸 때 도치가 일어난다.

부정어가 문두에 오는 경우	「부정어+조동사+주어+동사」 또는 「부정어+be동사+주어」 *부정어 not, no, never, little, hardly, rarely, seldom, scarcely, ...
only를 포함한 부사구가 문두에 오는 경우	「부사구+조동사+주어+동사」
장소·방향의 부사구가 문두에 오는 경우	「부사구+동사+주어」 *주어가 대명사일 때: 「부사구+주어+동사」
so/neither가 문두에 오는 경우	「So / Neither+(조)동사+주어」 (~도 역시 그렇다/아니다)

Answers p. 34

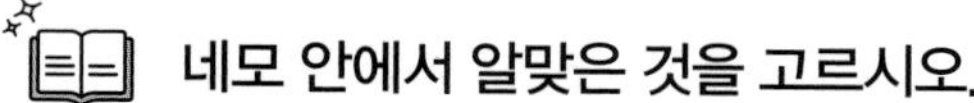

1 In the back seat of the car [was / were] two sweet little boys.

2 Rarely [did they cooperate / cooperated they] with each other.

rarely 드물게, 좀처럼 ~하지 않는

3 On their right side [stood a solitary lighthouse / a solitary lighthouse stood].

lighthouse 등대

4 Never before and never since have I [saw / seen] such a supportive team.

5 Only by testing ourselves [we can / can we] determine whether or not we really understand.

determine 결정하다

6 Just as saying sorry matters, so [do / does] remembering to thank those who help you move forward.

matter 중요하다
forward 앞으로

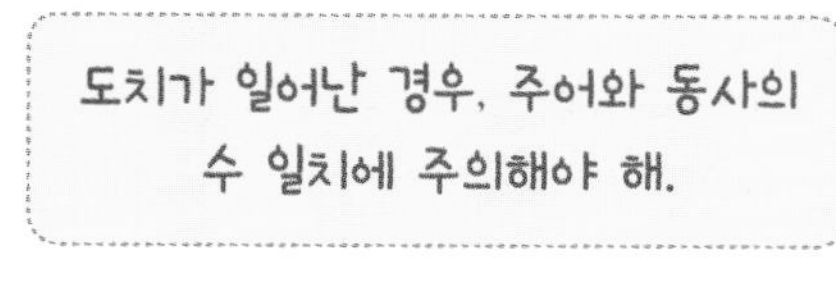

도치가 일어난 경우, 주어와 동사의 수 일치에 주의해야 해.

4 주

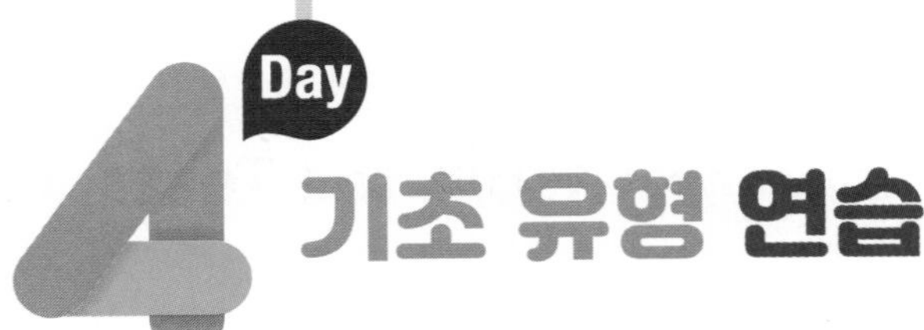

Day 4 기초 유형 연습

다음 글의 네모 안에서 알맞은 것을 고르시오.

수능 응용

1 Anxiety has a negative effect on academic performance of all kinds: 126 different studies of more than 36,000 people found that •the more [prone / resistant] to anxieties a person is, the poorer his or her academic performance is.

수능이라면 이렇게!

걱정이 학업 성취에 미치는 부정적 영향에 대한 근거를 들고 있음에 유의한다.

Words and Grammar

anxiety 걱정
negative 부정적인
effect 영향
academic performance 학업 성취
prone ~하기 쉬운
● 「the+비교급 ~, the+비교급 …」은 '~할수록 더 …하다'라는 의미이다.

학평 응용

2 Highly social animals, such as certain types of parrot, seem to be negatively affected when kept alone. Some parrots will seem to go insane if they are kept alone for a long time. On the other hand, certain animals •that are by nature [solitary / cooperative] hardly appear to be affected at all. Some fish, in particular some types of cichlids, will even fight with their own kind if more than one is kept in an aquarium.

수능이라면 이렇게!

on the other hand는 대조를 나타내는 연결어이다. 따라서 앞서 언급된 사회적인 동물의 예인 앵무새와 반대되는 예시가 나올 것임을 유추할 수 있다.

Words and Grammar

social 사회적인
negatively 부정적으로
affect 영향을 미치다
go insane 미치다
by nature 천성적으로
appear to ~인 것처럼 보이다
aquarium 수족관
● that은 주격 관계대명사로 animals를 수식하는 절을 이끈다.

Answers p. 34

다음 글의 밑줄 친 부분 중, 어법상 틀린 것을 고르시오.

수능 응용

3 I was five years old when my father introduced me to motor sports. Dad thought ① it was a normal family outing to go to a car racing event. It was his way of spending some quality time with his wife and kids. •Little ② he did know that he was fueling his son with a passion ③ that would last for a lifetime.

수능이라면 이렇게!

① 진주어가 무엇인지 파악한다.
② 부정어 little이 문두에 있음에 유의한다.
③ 주격 관계대명사의 쓰임이 적절한지 판단한다.

Words and Grammar

normal 보통의, 평범한
outing 외출, 여행
quality time 귀중한 시간
fuel (감정 등을) 부채질하다
passion 열정
for a lifetime 평생토록
• He knew little that ~. 에서 부정어 little을 강조하기 위해 문두에 쓴다.

학평 응용

4 The human body ① has evolved over time in environments of food scarcity; hence, the ability •to store fat ② efficiently is a valuable physiological function that served our ancestors well for thousands of years. Only in the last few decades, in the industrially developed economies, ③ have food become so plentiful and easy to get. It has caused fat-related health problems.

*physiological: 생리(학)의

수능이라면 이렇게!

① 현재완료의 쓰임이 적절한지 판단한다.
② 부사가 수식하는 말이 무엇인지 찾는다.
③ 도치된 문장에서 주어와 동사의 수가 일치하는지 확인한다.

Words and Grammar

evolve 진화하다
hence 따라서
store 저장하다
efficiently 효율적으로
ancestor 조상
industrially 산업상
plentiful 풍부한
• to부정사의 형용사적 용법으로 the ability를 수식한다.

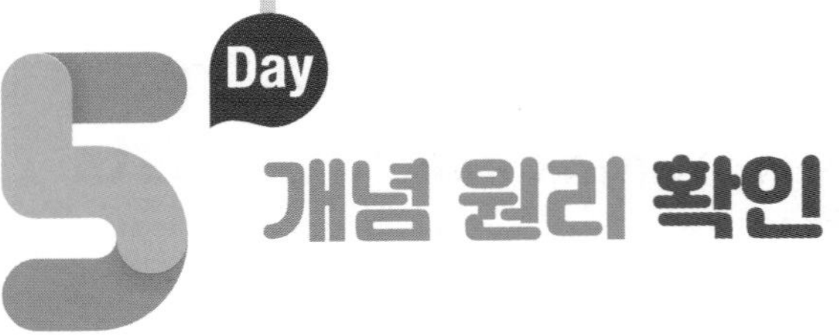

5 Day 개념 원리 확인 ①

// 그림을 보며 단어의 뜻을 익혀 보세요.

disaster – disastrous
[dizǽstər] [dizǽstrəs]
n. 재난, 재해 – *a.* 처참한, 형편없는
natural **disasters** 자연 재해

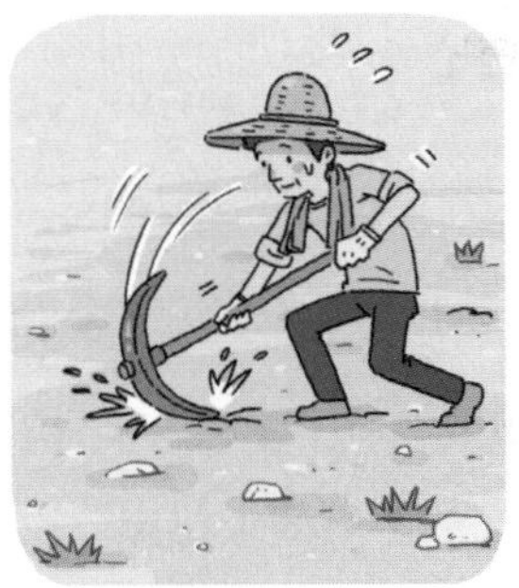

labor – laborious
[léibər] [ləbɔ́:riəs]
n. 노동, 근로 – *a.* 힘든, 고된
physical **labor** 육체노동

identity – identical
[aidéntəti] [aidéntikəl]
n. 신원, 정체 – *a.* 똑같은
confirm **identity** 신원을 확인하다

fear – fearsome
[fiər] [fíərsəm]
n. 공포, 두려움 – *a.* 무시무시한
the **fear** of ghosts 귀신에 대한 공포

automatic – automatically
[ɔ̀:təmǽtik] [ɔ̀:təmǽtikli]
a. 자동의 – *ad.* 자동으로
an **automatic** door 자동문

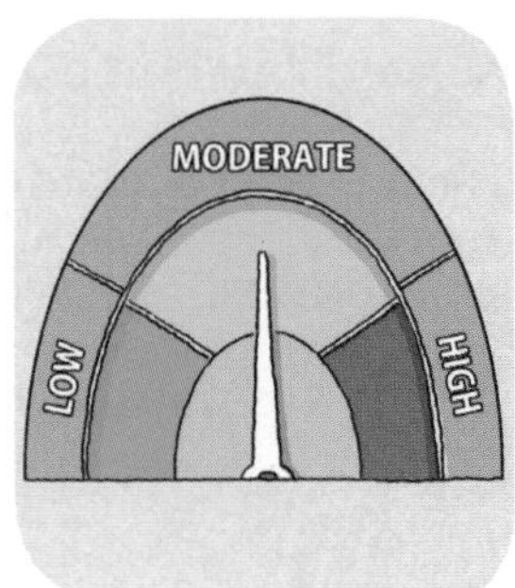

moderate – moderately
[mά:dərət] [mά:dərətli]
a. 보통의, 적당한 – *ad.* 적당하게
at **moderate** speed 적당한 속도로

Answers p. 35

다음 빈칸에 알맞은 것을 고르시오.

1 Cleaning the garden is a difficult and ___________ job.

① joyous ② laborious ③ advantageous

정원을 청소하는 것은 어렵고 **힘든** 일이다.

2 A ___________ fire destroyed much of the forest last month.

① generous ② disabled ③ disastrous

지난달에 **처참한** 화재가 대부분의 숲을 파괴했다.

3 The ___________ of the terrorist is still unknown.

① identity ② scarcity ③ identical

테러리스트의 **정체**는 아직 밝혀지지 않았다.

4 I can't ride a roller-coaster because I have a ___________ of heights.

① fear ② scary ③ labor

나는 고소 **공포증**이 있어서 롤러코스터를 탈 수 없다.

5 Even ___________ amounts of alcohol can lead to cancer.

① modern ② moral ③ moderate

알코올은 **보통의** 양이라도 암을 유발할 수 있다.

6 ___________ Teller Machines were first introduced in 1967.

① Automatic ② Dramatic ③ Fearsome

현금 **자동** 입출금기는 1967년에 처음 도입되었다.

-ous, -ical, -some은 형용사형 접미사야.

Tip

Day

개념 원리 확인 ❷

강조 구문의 쓰임을 기억하자!

❶ 너 또 미미 밥 주는 것을 잊어버렸지, 그렇지? ❷ 전 정말 미미 밥을 줬어요, 엄마.
❸ 제가 밥을 준 것은 고작 몇 분 전이었어요. ❹ 나는 그를 약올리는 것이 정말 좋아.

하루 어법

- **동사를 강조**할 때 주어의 인칭과 수, 시제를 맞추어 「**do[does/did]+동사원형**」의 형태로 쓴다.
- 「**It is[was] ~ that ...**」 **강조 구문**은 **주어나 목적어, 부사(구) 등을 강조**할 때 쓴다. 이때 강조하는 말을 It is[was]와 that 사이에 넣는다.
- 「It is[was] ~ that ...」 강조 구문에서 강조되는 것이 사람일 경우 that대신 who(m)을, 사물일 경우 which를 쓸 수도 있다.

Answers p. 35

네모 안에서 알맞은 것을 고르시오.

1 My sister [do / does] love to eat foods that are dense in calories.

dense 밀도가 높은
calorie 열량, 칼로리

2 Mr. Jones did [seem / seemed] to be in a bad mood.

seem to ~인 것처럼 보이다
in a bad mood 기분이 나쁜

3 Vaccines [do / does] help prevent the disastrous spread of the disease.

vaccine 백신
prevent 예방하다
spread 확산, 전파

4 It is an automatic vacuuming robot [what / that] he wants to buy.

vacuuming 진공청소기

5 It was in front of the airport [that / who] I first saw the identical twins.

identical twins 일란성 쌍둥이

6 It is the elderly [who / which] often suffer the most as temperatures drop.

the elderly 노인들
suffer 고통을 받다, (질병 등에) 시달리다
temperature 기온

강조의 do동사를 쓸 때 주어의 인칭과 수, 시제에 주의해야 해.

Day 5 기초 유형 연습

Words in Paragraphs

다음 글의 네모 안에서 알맞은 것을 고르시오.

1 Meaning 'to fight a lion,' *bokator* is a martial art depicted on the walls of Angkor Wat. There are 10,000 moves to master, mimicking animals such as monkeys, elephants and even ducks. King Jayavarman VII, the warrior king who united Cambodia in the 12th century, •made his army train in *bokator*, •turning it into a [fearsome / moderate] fighting force.

수능이라면 이렇게!

'사자와 싸우기'를 의미하는 무술을 이용하여 훈련한 군대의 위력을 생각해 본다.

Words and Grammar

martial art 무술
depict 그리다, 묘사하다
master 숙달하다
mimic 흉내 내다
unite 통합시키다
fighting force 전투 부대

- 「사역동사 make+목적어+목적격 보어」의 구조이며 목적격 보어로 동사원형(train)이 온다.
- turning ~ fighting force는 연속동작을 나타내는 분사구문이다.

2 Hobbies are practiced for interest and enjoyment, •rather than financial reward. An important determinant of what is considered a hobby is probably how easy it is to make a living at the activity. Almost no one can make a living at stamp collecting, but many people find it [enjoyable / laborious] so it is commonly regarded as a hobby.

수능이라면 이렇게!

many people find it ~에서 it은 우표 수집을 지칭하고 있음에 유의한다.

Words and Grammar

interest 흥미
enjoyment 즐거움
financial 금전적인
reward 보상
determinant 결정요인
consider 간주하다
commonly 흔히
regard ~을 …로 여기다[간주하다]

- *A* rather than *B*는 'B보다는 A'라는 의미이다.

Answers p. 35

다음 글의 밑줄 친 부분 중, 어법상 틀린 것을 고르시오.

3 Depression really ① do change the way •you see the world. People with the condition find it ② easy to interpret large images or scenes, but struggle to "spot the difference" in fine detail. Depressed people have a shortage of GABA, a neurotransmitter ③ linked to a visual skill.

*neurotransmitter: 신경 전달 물질

수능이라면 이렇게!

① 강조의 do동사가 주어의 인칭과 수에 맞게 쓰였는지 판단한다.
② 동사 find의 목적격 보어로 알맞은 품사인지 판단한다.
③ 앞에 쓰인 명사와의 관계가 수동인지 판단한다.

Words and Grammar

depression 우울증
interpret 해석하다
struggle 힘겨워하다
spot 발견하다
fine 미세한
shortage 부족
visual 시각적인
• you see the world는 관계부사절로 선행사 the way를 수식한다.

4 A system of transporting letters by canal boat ① to develop in the Dutch Republic in the 17th century. The service allowed communication •not only between Amsterdam and the smaller towns, but also between one small town and another. It was only in 1837, with the invention of the electric telegraph, ② that the traditional link between transport and the communication of messages ③ was broken.

수능이라면 이렇게!

① 문장의 주어와 본동사를 찾아본다.
② 강조 구문인지 아닌지 판단한다.
③ 주어가 단수인지 복수인지 확인한다.

Words and Grammar

transport 운송하다
canal boat 운하용 배
allow ~을 가능하게 하다
invention 발명
electric telegraph 전기 전신
traditional 전통적인
• not only *A* but also *B*는 'A뿐만 아니라 B도'라는 의미이다.

(A), (B), (C)의 각 네모 안에서 문맥에 맞는 낱말로 가장 적절한 것을 고르시오.

1

When it comes to food choices, young people are (A) [vulnerable / immune] to peer influences. A teenage girl may eat nothing but a salad for lunch, because that is what her friends are eating. A slim boy who hopes to make the wrestling team may eat foods that are (B) [dense / deficient] in carbohydrates and proteins to 'bulk up' like the wrestlers of his school. An overweight teen may eat (C) [greedily / moderately] while around his friends but then eat a lot when alone.

*peer: 또래 **carbohydrate: 탄수화물 ***protein: 단백질

2

The Atitlán Giant Grebe was a large, flightless bird. By 1965 there were only around 80 birds left on Lake Atitlán. One reason was because people were cutting down the reed beds. This (A) [contruction / destruction] was driven by the needs of a fast growing mat-making industry. But there were other problems. An American airline wanted to develop the lake as a fishing resort. However, the lake (B) [lacked / supported] any good sporting fish. To solve the problem, a fish called the Large-mouthed Bass was introduced. They ate small fish living in the lake, thus (C) [competing / cooperating] with the grebes for food. They even ate the chicks of the grebes.

*reed bed: 갈대밭

Answers p. 36

다음 글의 밑줄 친 부분 중, 어법상 틀린 것을 고르시오.

3

An official tells a surprising incident about some people who lived in an apartment building close to a busy state highway. The families were made ① miserably by the noise, and ② they complained to the city government. The city officials had an idea. They planted a single row of trees in front of the apartment house. The trees made ③ hardly any difference in the amount of noise, but they ④ did block the view of the highway. After that, there were very ⑤ few complaints from the people in the building.

4 주

4

Hypnosis leads people to come up with more information, but not necessarily more ① accurate information. In fact, it might be people's beliefs in the power of hypnosis ② that lead them to recall more things: If people believe that they should have better memory under hypnosis, they will try harder ③ to retrieve more memories when they are hypnotized. Unfortunately, there's no way to know ④ whether the memories are true or not — unless we know exactly what the person should be able to remember. But if we ⑤ know that, then we'd have no need to use hypnosis in the first place!

*hypnosis: 최면 **retrieve: 상기해 내다 ***hypnotize: 최면을 걸다

A 만화를 읽고, 표시된 단어의 우리말 뜻에 해당하는 것에 체크하시오.

1 laborious
- ☐ 고된, 힘든
- ☐ 쉬운

2 consistency
- ☐ 가변성
- ☐ 일관성, 꾸준함

3 responsive
- ☐ 즉각 반응하는
- ☐ 반응하지 않는

4 automatic
- ☐ 자동의
- ☐ 신중한

Answers p. 37

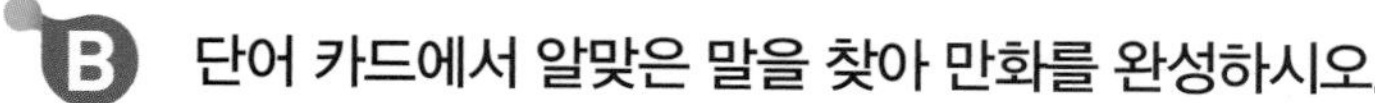

B 단어 카드에서 알맞은 말을 찾아 만화를 완성하시오.

resistant	cooperate	scarce	agreement
vulnerable	reduction	recognition	moderate

4 주

C 알맞은 접미사를 이용하여 주어진 단어의 명사형을 만드시오.

-ment	-ity	-(t)ion
-al	-(n)t	-ency

1 scarce – ____________ 2 recognize – ____________

3 complain – ____________ 4 diverse – ____________

5 survive – ____________ 6 encourage – ____________

7 depend – ____________ 8 precise – ____________

D 색을 칠한 부분과 색이 없는 부분을 연결하여 단어를 만드시오.

	색을 칠한 부분		색이 없는 부분
1	r e s i s t	· ·	r e
2	i d e n t i	· ·	r o u s
3	c o n s i s	· ·	t e n c y
4	c o o p e r	· ·	c a l
5	p r e s s u	· ·	a n t
6	d i s a s t	· ·	a t i v e

Answers p. 38

E 힌트를 보고 다음 퍼즐을 완성하시오.

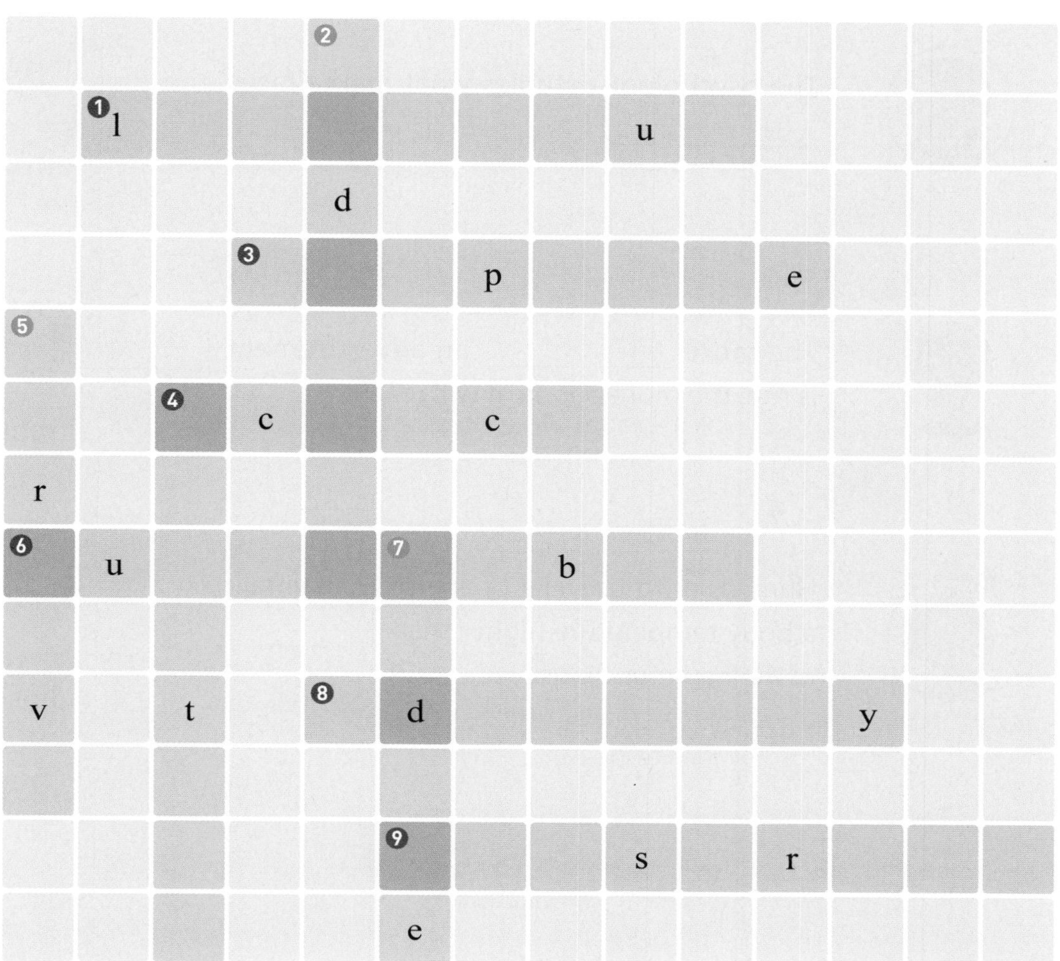

Across

1. taking a lot of time and effort
3. a spoken or written answer
4. synonym insufficient; rare
6. weak and easily hurt physically or emotionally
8. Your __________ is who you are.
9. to build something such as a house, bridge, building, etc

Down

2. neither large nor small in size, amount, or degree
4. enjoying being alone antonym sociable
5. to continue to live or exist
7. to make something smaller or less in size, amount, or price

4주

F 다음 빈칸에 들어갈 알맞은 말에 체크하시오.

1 The psychologist studies what makes faces ____________.

- ☐ attractive
- ☐ attractively

2 The more ____________ an advertisement is run, the more people it will reach.

- ☐ frequent
- ☐ frequently

3 Humans must use a lot of energy to maintain a body temperature higher than ________ of their surroundings.

- ☐ that
- ☐ those

G 다음 우리말을 참고하여 필요한 단어 카드만 골라 문장을 완성하시오.

1 이 드레스가 파티에 더 적합해 보인다.

➡ This dress ____________________________ for a party.

more	seems	suitable	suitably

2 그들이 사실을 알았더라면 너를 용서하지 않았을 텐데.

➡ If they ______________ the truth, they wouldn't ______________ you.

known	have	has	had	forgave	forgiven

Answers p. 38

H 다음 문장을 〈조건〉에 맞게 바르게 바꾼 사람을 고르시오.

1 In fact, Jake is not our leader, but he acts like our leader.

〈조건〉 as if 가정법 과거 문장으로 바꿀 것

☐ 
Amy
Jake acts as if he is our leader.

☐ 
Ted
Jake acts as if he were our leader.

2 Sophia made a mistake, so she couldn't win first prize.

〈조건〉 가정법 과거완료 문장으로 바꿀 것

☐ 
Amy
If Sophia had made a mistake, she couldn't have won first prize.

☐ 
Ted
If Sophia hadn't made a mistake, she could have won first prize.

3 A large picture of Neil Armstrong is above the television.

〈조건〉 밑줄 친 말을 강조할 것

☐ 
Amy
Above the television is a large picture of Neil Armstrong.

☐ 
Ted
Above the television a large picture of Neil Armstrong is.

4 I sent my grandma a gift last Christmas.

〈조건〉 밑줄 친 말을 강조할 것

☐ 
Amy
It was last Christmas that I sent my grandma a gift.

☐ 
Ted
It was last Christmas who I sent my grandma a gift.

이 책의 어휘 목록

20일 동안 학습한 어휘를 한 번에 정리해 보세요.

Word List

Word Test

• 영어는 우리말로, 우리말은 영어로 쓰세요.

Answers p. 39

Test for Week 1

01 decrease ______

02 increase ______

03 maximum ______

04 minimum ______

05 include ______

06 exclude ______

07 curable ______

08 incurable ______

09 available ______

10 unavailable ______

11 attach ______

12 detach ______

13 regard ______

14 disregard ______

15 intentional ______

16 unintentional ______

17 advantage ______

18 disadvantage ______

19 underestimate ______

20 overestimate ______

21 conscious ______

22 unconscious ______

23 satisfactory ______

24 unsatisfactory ______

25 practical ______

26 impractical ______

27 certain ______

28 uncertain ______

29 complicated ______

30 uncomplicated ______

01 떼다[분리하다], 분리되다 ______

02 붙이다, 첨부하다 ______

03 장점, 이점, 유리한 점 ______

04 단점, 약점, 불리한 점 ______

05 만족스러운 ______

06 만족스럽지 못한 ______

07 최저의, 최소의; 최소 ______

08 최고의, 최대의; 최대 ______

09 복잡한 ______

10 복잡하지 않은, 단순한 ______

11 제외[배제]하다 ______

12 포함하다 ______

13 의식이 있는, 자각하는 ______

14 의식이 없는 ______

15 이용할[구할] 수 있는 ______

16 이용할[구할] 수 없는 ______

17 실용적인, 현실적인 ______

18 비실용적인, 비현실적인 ______

19 확신하는, 확실한 ______

20 확신이 없는, 불확실한 ______

21 치유 가능한 ______

22 치유가 불가능한, 불치의 ______

23 고의적인 ______

24 고의가 아닌, 무심코 한 ______

25 줄다, 감소하다; 감소 ______

26 늘다, 증가하다; 증가 ______

27 과대평가하다 ______

28 과소평가하다 ______

29 ~을 …로 여기다; 관심 ______

30 무시하다 ______

• 영어는 우리말로, 우리말은 영어로 쓰세요.

Answers p. 39

Test for Week 2

01 mostly ______
02 attack ______
03 abstract ______
04 separate ______
05 hostile ______
06 poverty ______
07 unique ______
08 rarely ______
09 abundant ______
10 loosen ______
11 combine ______
12 allow ______
13 insufficient ______
14 weakness ______
15 common ______
16 concrete ______
17 forbid ______
18 admit ______
19 beneficial ______
20 deny ______
21 defend ______
22 harmful ______
23 strength ______
24 wealth ______
25 release ______
26 mental ______
27 favorable ______
28 physical ______
29 tighten ______
30 squeeze ______

01 부인[부정]하다 ______
02 구체적인, 현실의 ______
03 유익한, 이로운 ______
04 유일한, 독특한, 특별한 ______
05 가난, 빈곤 ______
06 분리하다[되다]; 분리된 ______
07 풀어 주다, 놓아 주다 ______
08 신체적인 ______
09 허락하다 ______
10 팽팽해지다, 조여지다 ______
11 느슨하게 하다, 풀다 ______
12 불충분한 ______
13 짜다, 짜내다 ______
14 결합하다[되다] ______
15 약함, 약점 ______
16 힘, 강점, 장점 ______
17 공격하다; 공격, 폭행 ______
18 풍부한, 많은 ______
19 재산, 부 ______
20 호의적인, 찬성하는 ______
21 해로운, 유해한 ______
22 흔한, 공통의; 공유지 ______
23 좀처럼 ~하지 않는 ______
24 금하다, 금지하다 ______
25 적대적인, ~에 반대하는 ______
26 추상적인, 관념적인 ______
27 주로, 일반적으로 ______
28 방어[수비]하다; 방어 ______
29 인정[시인]하다 ______
30 정신적인 ______

Word Test

• 영어는 우리말로, 우리말은 영어로 쓰세요.

Answers p. 40

Test for Week 3

01 protect ____________

02 attraction ____________

03 evade ____________

04 range ____________

05 realize ____________

06 distraction ____________

07 preserve ____________

08 compliment ____________

09 change ____________

10 respective ____________

11 predict ____________

12 thorough ____________

13 reject ____________

14 extinct ____________

15 attain ____________

16 extract ____________

17 remain ____________

18 prospect ____________

19 underlie ____________

20 through ____________

21 rationalize ____________

22 depict ____________

23 adopt ____________

24 reflect ____________

25 undermine ____________

26 evoke ____________

27 observe ____________

28 adapt ____________

29 respectful ____________

30 complement ____________

01 (기억을) 떠올려 주다 ____________

02 여전히 ~이다, 남다 ____________

03 합리화하다 ____________

04 ~의 기초가 되다 ____________

05 채택[적용]하다, 입양하다 ____________

06 깨닫다, 실현하다 ____________

07 존중하는, 공손한 ____________

08 반사하다, 반영하다 ____________

09 칭찬하다; 칭찬, 찬사 ____________

10 약화시키다 ____________

11 지키다, 보존하다 ____________

12 명소, 명물, 매력 ____________

13 집중을 방해하는 것 ____________

14 보충[보완]하다; 보완물 ____________

15 묘사하다, 그리다 ____________

16 범위, 영역; 정렬시키다 ____________

17 변하다, 바꾸다; 변화 ____________

18 ~을 통하여; 줄곧 ____________

19 관찰[관측]하다, 목격하다 ____________

20 멸종한 ____________

21 적응하다, 개작[각색]하다 ____________

22 보호하다, 보장하다 ____________

23 철저한, 순전한, 빈틈없는 ____________

24 달성하다, 얻다, 이르다 ____________

25 예측하다 ____________

26 거절하다, 거부하다 ____________

27 뽑다, 추출하다; 추출물 ____________

28 피하다, 회피하다 ____________

29 각자의, 각각의 ____________

30 가망, 예상, 전망 ____________

• 영어를 우리말로 쓰세요.

Answers p. 40

Test for Week 4

01 press ____________________

02 identity ____________________

03 complain ____________________

04 labor ____________________

05 infinite ____________________

06 moderate ____________________

07 scarce ____________________

08 agree ____________________

09 solitude ____________________

10 consistent ____________________

11 survive ____________________

12 precise ____________________

13 restrict ____________________

14 response ____________________

15 resist ____________________

16 construct ____________________

17 destroy ____________________

18 reduce ____________________

19 regulate ____________________

20 fear ____________________

21 automatic ____________________

22 support ____________________

23 depend ____________________

24 recognize ____________________

25 disaster ____________________

26 cooperate ____________________

27 encourage ____________________

28 prosper ____________________

29 diverse ____________________

30 vulnerable ____________________

31 pressure ____________________

32 identical ____________________

33 complaint ____________________

34 laborious ____________________

35 infinity ____________________

36 moderately ____________________

37 scarcity ____________________

38 agreement ____________________

39 solitary ____________________

40 consistency ____________________

41 survival ____________________

42 precision ____________________

43 restriction ____________________

44 responsive ____________________

45 resistant ____________________

46 constructive ____________________

47 destruction ____________________

48 reduction ____________________

49 regulation ____________________

50 fearsome ____________________

51 automatically ____________________

52 supportive ____________________

53 dependency ____________________

54 recognition ____________________

55 disastrous ____________________

56 cooperative ____________________

57 encouragement ____________________

58 prosperity ____________________

59 diversity ____________________

60 vulnerability ____________________

시작은

하루 수능

정답과 해설

천재교육

정답과 해설 포인트 3가지

▶ 혼자서도 이해할 수 있는 친절한 문제 풀이

▶ 긴 문장을 쉽게 해석하게 도와주는 끊어 읽기 BOX

▶ 자세하고 명확한 해설로 수능 영어를 한층 더 쉽게!

1주 반의어1/주어와 동사의 관계

이번 주에는 무엇을 공부할까? ❶

pp. 6~7

1 ❶ 장점 ❷ 단점
2 ❶ 줄(이)다, 감소하다
❷ 늘(리)다, 증가하다
3 ❶ 복잡한 ❷ 단순한
4 ❶ 비실용적인 ❷ 실용적인

이번 주에는 무엇을 공부할까? ❷

pp. 8~9

간단 체크 1

(1) F (→ has) (2) T (3) F (→ need) (4) F (→ hit)

(1) **해석** 그들 중 한 사람은 금발이다.
해설 「one of+복수 명사」가 주어일 때 단수 취급한다.

(2) **해석** 좋은 친구를 사귀는 것은 중요하다.
해설 동명사구 주어는 단수 취급한다.

(3) **해석** 가난한 사람들은 우리의 도움과 지원이 필요하다.
해설 「the+형용사」는 '~한 사람들'이라는 의미로 복수 취급한다.

(4) **해석** 어제 허리케인이 그 마을을 강타했다.
해설 주어는 A hurricane이고 동사가 없으므로 과거형 동사 hit가 필요하다.

간단 체크 2

(1) T (2) F (→ stolen) (3) F (→ donated) (4) F (→ be seen)

(1) **해석** 나는 낯선 사람에 의해 공격 받았다.
해설 내가 공격을 '당했다'라고 해야 하므로 「be동사+과거분사」의 수동태로 나타낸다.

(2) **해석** 그때 그 가방은 도난당했다.
해설 가방은 도난을 '당한' 것이므로 수동태로 나타낸다.

(3) **해석** 대부분의 돈은 기부되었다.
해설 돈이 '기부된' 것이므로 수동태로 나타낸다.

(4) **해석** 그 호텔은 해변에서 보일 수 있다.
해설 호텔은 보는 행위를 당하는 대상이므로 수동태로 나타낸다. 조동사가 있을 때 수동태의 형태는 「조동사+be+과거분사」이다.

1 Day Words from the Tests

개념 원리 확인 ①

p. 11

1 ③ 2 ① 3 ② 4 ② 5 ③ 6 ③

1 ① *v.* ~을 가능하게 하다 ② *a.* (어떤 일이) 있을 것 같은
③ *a.* 이용할[구할] 수 있는
2 ① *v.* 포함하다 ② *v.* (좋지 못한 상황을) 초래하다
③ *v.* 결론을 내리다
3 ① *a.* 불편한 ② *a.* 이용할[구할] 수 없는 ③ *a.* 불행한
4 ① *n.* 중독자 ② *n.* 장점, 이점 ③ *n.* 역경
5 ① *v.* 기대하다 ② *v.* 나타내다, 표현하다 ③ *v.* 제외하다
6 ① *n.* 불신 ② *n.* 처리 방안, 해결책 ③ *n.* 단점, 불리한 점

1 Day Grammar from the Tests

개념 원리 확인 ②

p. 13

1 is 2 fills 3 have 4 is 5 were 6 include

1 **해석** 소설을 영화로 각색하는 것은 어려운 일이다.
해설 동명사구 주어는 단수 취급한다.

2 **해석** 야생화의 향기가 대기를 채운다.
해설 The perfume이 단수 주어이므로 단수 동사를 쓴다.

3 **해석** 그것의 화석 유해는 포르투갈에서 발견되었다.
해설 Its fossil remains가 복수 주어이므로 복수 동사를 쓴다.

4 **해석** 그녀의 그림들에 관한 더 많은 정보는 저희 웹 사이트에서 얻으실 수 있습니다.
해설 More information이 단수 주어이므로 단수 동사를 쓴다.

5 **해석** 내 남편과 나는 조카의 결혼식에서 제외되었다.
해설 and로 연결된 둘 이상의 사람이 주어이므로 복수 동사를 쓴다.

6 **해석** 소셜미디어의 단점들은 신원 도용과 온라인상의 괴롭힘을 포함한다.
해설 The disadvantages가 복수 주어이므로 복수 동사를 쓴다.

1 Day 기초 유형 연습 pp. 14~15

Words in Paragraphs

1 excluded　2 available

Grammar for Tests

3 ③　4 ③

1 **해석** 아리스토텔레스는 모든 인간이 정치 활동에 참여하도록 허용되어야 한다고 생각하지 않았다. 즉 그의 학설에서 여자, 노예, 그리고 외국인은 자신 및 다른 사람을 다스릴 권리로부터 배제되었다.

구문 풀이

- Aristotle did not think that all human beings should be allowed to take part in political activity: ~.
  not ~ all: 부분 부정(모두 ~인 것은 아니다)
  조동사가 있는 수동태: 「조동사+be+과거분사」

해설 not ~ all은 부분 부정으로 '모두 ~인 것은 아니다'라는 의미이다. 따라서 아리스토텔레스의 논리에 따르면 여자, 노예, 외국인은 자기 자신과 다른 사람을 다스릴 권리에서 '배제되었다(excluded)'고 해야 한다.

2 **해석** 오늘날 사용 중인 모든 독성 물질이나 제품에는 더 안전한 대안이 있다. 거의 모든 경우에, 더 안전한 대안이 비슷한 비용으로 이용될 수 있다. 자동차 업계는 자동차로부터의 오염을 줄이는 어떤 기술도 존재하지 않는다고 주장했지만, 그들은 틀렸다.

구문 풀이

- For every toxic substance or product in use today, there is a safer alternative.
  동사 (is)　주어 (a safer alternative)

해설 독성 물질이나 제품에 대해 '이용 가능한(available)' 더 안전한 대안이 있다고 언급한 뒤 오염을 줄이는 기술이 없다고 주장한 자동차 업계가 틀렸다는 말이 이어져야 자연스럽다.

3 **해석** 운동하는 동안 편안함을 제공하기 위해 의복이 비쌀 필요는 없다. 기온과 운동하고 있을 환경 조건에 적합한 의복을 선택하라. 따뜻한 환경에서는 수분을 흡수하거나 배출할 수 있는 기능을 가진 옷이 몸에서 열을 발산하는 데 도움이 된다.

구문 풀이

- Choose clothing [appropriate for the temperature and environmental conditions in which you will be doing exercise].
  「전치사+관계대명사」를 관계부사 where로 바꿔 쓸 수 있다.

해설 ① 목적을 나타내는 부사적 용법으로 쓰인 to부정사이다.
② 명사를 수식하는 형용사가 알맞게 쓰였다.
③ clothes that have a wicking capacity가 주어부이고, clothes가 주어이므로 복수 동사를 써야 한다. (→ are)

어휘 temperature 온도 condition 조건 helpful 유용한

4 **해석** 무리의 크기가 야영지에 미치는 영향이 공식적으로 연구된 적은 전혀 없지만, 큰 무리가 작은 무리보다 야영지에 더 빠르게 충격을 가할 수 있다는 점은 일리가 있다. 예를 들면, West Virginia 주의 New River를 따라서, 규모가 큰 래프팅 회사에 의해 사용된 장소에서 초목이 손실된 영역은 작은 무리의 어부들에 의해 사용된 장소의 (초목이 손실된) 영역보다 네 배 이상 넓었다.

끊어 읽기

Although / the effect of party size on campsites /
비록 ~이지만　야영지에 미치는 무리의 크기의 영향이
has never been formally studied, / it makes sense
공식적으로 연구된 적은 전혀 없다　~라는 점은 일리가 있다
that / a large group / can cause impacts /
규모가 큰 무리가　충격을 야기할 수 있다
on campsites / more rapidly / than a small group.
야영지에　더 빠르게　규모가 작은 무리보다

해설 ① 주어가 the effect이므로 단수 동사를 쓴다.
② 동사구 can cause를 수식하기 위한 부사가 알맞게 쓰였다.
③ 문장의 주어부는 the area ~ companies이며, 주어는 the area이므로 단수 동사를 써야 한다. (→ was)

어휘 effect 영향 campsite 야영지, 캠프장 make sense 일리가 있다 cause 일으키다, 야기하다 site (특정 용도용) 장소 company 회사 fisherman 어부

2 Day Words from the Tests

개념 원리 확인 ① p. 17

1 ②　2 ③　3 ②　4 ②　5 ③　6 ①

1 ① *a.* 개인의　② *a.* 치유가 불가능한, 불치의
③ *a.* 비싸지 않은
2 ① *v.* 감소했다　② *v.* 포함했다　③ *v.* 증가했다
3 ① *v.* 올리다[인상하다]　② *v.* 줄(이)다, 감소하다[시키다]
③ *v.* 늘(리)다, 증가하다[시키다]
4 ① *a.* ~을 할 수 있는　② *a.* 치유 가능한
③ *a.* 믿기 어려운, 놀라운
5 ① *v.* 향상시키다　② *a.* 가능성이 있는
③ *a.* 비실용적인, 비현실적인
6 ① *a.* 실용적인, 현실적인　② *a.* 위험한　③ *a.* 소용없는

2 Day Grammar from the Tests

개념 원리 확인 ② p.19

1 tastes　2 is　3 are　4 is　5 were　6 have

1 **해석** 음식의 일부는 맛이 짜고 맵다.
해설 some of 다음에 단수 명사가 쓰였으므로 단수 동사를 쓴다.

2 **해석** 멸종 위기에 처한 종의 수가 증가하고 있다.
해설 the number of는 '~의 수'라는 의미로 단수 동사와 함께 쓴다.

3 **해석** 초기에 발견된다면 대부분의 암은 치료가 가능하다.
해설 most of 다음에 복수 명사가 쓰였으므로 복수 동사를 쓴다.

4 **해석** 바이러스의 확산을 줄이는 가장 실용적인 방법 중 하나는 손을 씻는 것이다.
해설 「one of+복수 명사」는 '~들 중 하나'라는 의미로 단수 취급한다.

5 **해석** 그들은 노인들이 예전에 어떠했는지에 대한 기억이 없다.
해설 「the+형용사」는 '~한 사람들'이라는 의미로 복수 취급한다.

6 **해석** 우리 반의 많은 학생이 불치병 환자들을 돕기 위해 자원봉사를 했다.
해설 a number of는 '많은'이라는 의미로 복수 동사와 함께 쓴다.

2 Day 기초 유형 연습 pp. 20~21

Words in Paragraphs
1 ① 2 ③
Grammar for Tests
3 ③ 4 ①

1 **해석** 의사가 환자에게 치유 가능하다고(→ 치유 가능하지 않다고) 선고할 때 그는 운명에 순응하지 않고, 회복의 가망을 보여 주는 근처 돌팔이 의사에게 달려간다. 그의 자기보호 욕구는 줄어들지 않을 것이다.
구문 풀이
- **he will not obey his fate but runs to the nearest quack**: 「not *A* but *B*」 구문으로 'A가 아니라 B다'라고 해석한다.

해설 ① 운명을 따르지 않고 회복을 약속하는 돌팔이 의사에게 달려가는 상황은 '치유할 수 없는(incurable)' 병, 즉 불치병을 선고 받았을 때이다.

2 **해석** 동남아시아의 흔한 새인 집오리는 H5N1 조류독감의 주요 매개체 중의 하나이다. 과학자들은 이 지역에서의 농업 유형을 지도로 나타내기 위해 인공위성의 이미지를 이용한다. 이러한 지도는 어디에서 그 오리들의 수가 감소할(→ 증가할) 가능성이 가장 높은지와, 따라서 어디에서 조류독감이 확산될 가능성이 가장 높은지를 보여 준다.
구문 풀이
- The domestic duck과 a common bird of Southeast Asia는 동격 관계이다.
- where the number of the ducks is most likely to increase와 where the avian influenza is most likely to spread는 간접의문문으로 「의문사+주어+동사」의 어순이다.

해설 ③ 조류독감의 주요 매개체가 집오리라고 언급했으므로 조류독감이 확산될 가능성이 높은 곳을 보여주려면 오리들의 수가 '증가할(increase)' 가능성이 높은 곳을 보여준다고 해야 문맥상 자연스럽다.

3 **해석** 과학 기술과 인터넷이 젊은이들에게 친숙한 수단이기에, 그들이 이 정보원에서 도움을 구할 것이라는 것은 논리적이다. 이것은 젊은이들을 위한 치료법 정보를 제공하는 웹 사이트의 증가에서 증명되었다. 많은 수의 '젊은이 친화적인' 정신 건강 웹사이트들이 개발되어 왔다.
구문 풀이
- **websites that provide therapeutic information for young people**: that 이하는 주격 관계대명사절로 선행사 websites를 수식한다.

해설 ① 뒤에 완전한 문장이 이어지므로 접속사 that으로 연결하는 것이 맞다.
② 선행사가 websites로 복수이므로 주격 관계대명사 that 다음에 복수 동사가 알맞게 쓰였다.
③ a number of는 '많은'이라는 의미로 복수 취급하므로 복수 동사를 써야 한다. (→ have)

4 **해석** 아이들의 공감 능력을 길러 주는 가장 효과적인 방법 중 하나는 그들이 스스로 더 놀도록 내버려 두는 것이다. 감독을 받지 않는 아이들은 그들이 어떻게 느끼는지를 서로에게 말하는 것을 주저하지 않는다. 게다가, 놀고 있는 아이들은 종종 다른 역할을 맡아서 Walsh 교장 선생님이나 Josh의 엄마인 척하고, 즐거운 마음으로 다른 누군가가 어떻게 생각하고 느끼는지를 스스로 상상하게 만든다.
구문 풀이
- ~, pretending to be Principal Walsh or Josh's mom, (분사구문(= and they pretend ~))
  happily forcing themselves to imagine how (분사구문(= and they happily force ~)) (명사절(동사 imagine의 목적어))
  someone else thinks and feels.

해설 ① 「one of+복수 명사」는 '~들 중 하나'라는 의미이고 단수 취급하므로 단수 동사를 써야 한다. (→ is)
② 연속동작을 나타내는 분사구문으로 and they pretend로 바꿔 쓸 수 있다.
③ forcing의 의미상 주어와 목적어가 children으로 동일하므로 재귀대명사가 알맞게 쓰였다.
어휘 in addition 게다가 role 역할 principal 교장 선생님 imagine 상상하다

3 Day Words from the Tests

개념 원리 확인 ① p. 23

1 ③ 2 ② 3 ② 4 ② 5 ③ 6 ③

1 ① *a.* (크기·가격·중요성 등이) 그다지 크지 않은
② *a.* 반대의 ③ *a.* 최소한의
2 ① *a.* 낮은 ② *a.* 최대한의 ③ *v.* 극대화하다
3 ① *v.* 후회하다 ② *v.* (~을 …로) 여기다
③ *v.* 거절하다
4 ① *v.* 토론했다 ② *v.* 무시했다 ③ *v.* 사라졌다
5 ① *a.* 내부의 ② *a.* 우연한, 돌발적인 ③ *a.* 고의적인
6 ① *a.* 서로 다른 ② *a.* 만족스럽지 않은
③ *a.* 고의가 아닌, 무심코 한

3 Day Grammar from the Tests

개념 원리 확인 ② p. 25

1 consuming 2 left 3 realized 4 disregarding
5 is 6 to contain

1 해석 한 연구에서, 28일 동안 하루에 두세 개의 키위를 먹는 것이 콜레스테롤 수치를 줄여 주었다.
해설 consume은 주어의 역할을 하는 동명사 consuming으로 써야 하고 본동사는 reduced이다.

2 해석 William Smith는 수업료를 낼 수 없는 가정 형편으로 14살에 학교를 그만두었다.
해설 주절에 본동사가 없으므로 과거 시제의 동사 left가 필요하다. as는 이유를 나타내는 접속사로 접속사 다음에는 절(주어+동사)이 나온다.

3 해석 Owen뿐만 아니라 Danny도 그녀의 행동들이 의도적이었음을 깨달았다.
해설 주절의 본동사가 없으므로 과거 시제의 동사 realized가 필요하다. that은 접속사로 뒤에 절이 이어진다.

4 해석 그는 그녀의 충고를 무시한 채 계속해서 수영했다.
해설 본동사 kept가 있으므로 disregarding을 써서 동시동작을 나타내는 분사구문이 되도록 해야 한다.

5 해석 각각의 혐의에 대한 최고형은 감옥에서의 5년형이다.
해설 문장의 주어부가 The maximum sentence on each charge이고 본동사가 없으므로 동사 is를 써야 한다.

6 해석 우리는 질을 손상시키지 않으면서 비용을 제한하기 위해 할 수 있는 모든 것을 다했다.
해설 everything을 수식하는 목적격 관계대명사절은 we can이고, 문장의 본동사는 have done이므로 동사 contain은 쓰일 수 없다. to contain은 목적을 나타낸다.

3 Day 기초 유형 연습 pp. 26~27

Words in Paragraphs
1 minimum 2 unintentional
Grammar for Tests
3 ③ 4 ①

1 해석 임대료는 대개 어떤 지점, 즉 운영 비용을 충당하기 위해 청구되어야 할 최소 비용 밑으로는 떨어지지 않는다. 어떤 소유자들은 그것에 돈을 잃기보다는 차라리 그 공간을 시장에서 거둬들일 것이다.
구문 풀이
- **in order to cover operating expenses**: in order to는 '~하기 위해'라는 의미로 목적을 나타낸다. to cover operating expenses로 바꿔 쓸 수 있다.

끊어 읽기
Rental rates / usually do not drop / below a certain point, / the minimum / that must be charged / in order to cover / operating expenses.
임대료는 / 대개 떨어지지 않는다 / 어떤 지점 아래로 / 최소 비용 / 청구되어야 할 / 충당하기 위해 / 운영 비용을

해설 임대 공간의 소유자들이 돈을 잃기보다는 차라리 그 공간을 시장에서 거둬들인다고 했으므로 임대료는 운영비를 충당하는 데 필요한 '최소한의(minimum)' 비용 밑으로는 떨어지지 않는다고 해야 적절하다.

2 해석 베푸는 것은 때로는 의도적이지 않다. 당신이 공개된 웹사이트를 가지고 있으면 당신이 의도하든 아니든 간에 당신은 구글에 정보를 제공하게 된다. 또한, 비록 당신이 의도한 것이 아니라 하더라도 당신은 재활용 쓰레기통에서 알루미늄 캔을 모으는 노숙인에게 알루미늄 캔을 주게 된다.
해설 이어지는 내용에서 자신이 의도하지 않아도 베푸는 일을 하게 되는 예시들을 언급하고 있으므로 베푸는 것이 '의도하지 않은(unintentional)' 것일 수 있다는 내용이 되어야 한다.

3 해석 브라질의 Salvador에서 음악가인 Carlinhos Brown은 이전에 위험했었던 동네에 음악 및 문화 센터를 여러 개 세웠다. Brown이 태어난 Candeal에서, 지역 아이들은 드럼 그룹에 가입하고, 노래를 부르고, 공연을 무대에 올리도록 권장되었다. 이러한 활동들을 통해 열정을 얻은 그 아이들은 마약 거래에서 손을 떼기 시작했다.

구문 풀이

- In Candeal, where Brown was born, local kids were encouraged to join drum groups, sing, and stage performances.

관계부사절 / 수동태 / 「be동사+과거분사」 / 병렬 구조

해설 ① 문장의 주어는 musician Carlinhos Brown이고 established가 본동사이다.

② energized by these activities는 과거분사구로 앞의 명사 The kids를 꾸며준다. 열정을 '얻게 된' 것이므로 수동의 의미인 과거분사가 알맞게 쓰였다.

③ 문장의 본동사가 없으므로 beginning은 전체 글의 시제에 맞게 과거 시제의 동사로 고쳐야 한다. (→ began)

어휘 local 지역의 encourage 권장하다, 장려하다 stage (연극·공연 등을) 무대에 올리다 performance 공연 deal 거래하다 drug 마약

4 **해석** 브로콜리 표면의 습기는 곰팡이의 성장을 촉진하므로 보관하기 전에 브로콜리를 물로 씻지 마라. 하지만 대부분의 채소들처럼 그것은 구입 후 1~2일 내에 사용될 때 최상의 상태에 있다. 브로콜리를 준비하는 것은 매우 쉬워서, 당신은 그것이 부드러워질 때까지 물에 데치기만 하면 된다.

구문 풀이

- Preparing broccoli is extremely easy, so all (that) you have to do is boil it in water just until it is tender.

동명사구 주어 / 동사 / 주어 / 동사 / 보어(to boil에서 to를 생략) / 시간을 나타내는 부사절

해설 ① 이유의 접속사 since가 이끄는 부사절에서 주어는 moisture이고 본동사가 없으므로 단수 주어에 맞게 현재형 단수 동사를 써야 한다. (→ encourages)

② 문장의 주어로 동명사인 Preparing이 쓰였다. 주어인 동명사구는 단수 취급하므로 문장의 본동사로 is가 알맞다.

③ all이 주어이고 you have to do는 all을 수식하는 관계사절이며 is가 본동사이고 boil은 보어이다.

4 Day Words from the Tests

개념 원리 확인 ① p. 29

1 ③ 2 ③ 3 ① 4 ② 5 ③ 6 ①

1 ① *v.* 압도하다 ② *v.* 과식하다 ③ *v.* 과대평가하다
2 ① *a.* 지저분한 ② *a.* 불필요한 ③ *a.* 만족스러운
3 ① *a.* 의식하는 ② *v.* 고려하다 ③ *a.* 조건부의
4 ① *a.* 편안한 ② *a.* 만족스럽지 못한 ③ *a.* 인근의, 주위의
5 ① *a.* ~할 수 없는 ② *a.* ~할 것 같지 않은 ③ *a.* 의식이 없는
6 ① *v.* 과소평가하다 ② *v.* 밑줄을 긋다 ③ *prep.* ~ 의 밑에

4 Day Grammar from the Tests

개념 원리 확인 ② p. 31

1 has 2 had 3 have 4 had
5 underestimated 6 had been writing

1 **해석** Anderson 씨는 어제부터 의식이 없는 상태이다.
해설 어제부터 현재까지 계속되는 상태를 나타내므로 현재완료 「have[has]+과거분사」를 쓴다.

2 **해석** 나는 내가 어리석은 실수를 저질렀음을 알고 있었다.
해설 과거완료는 「had+과거분사」의 형태로, 과거 특정 시점보다 더 이전에 일어난 일을 나타낸다.

3 **해석** 수년간, 나는 더 나은 직장을 원하는 사람들을 자주 상담해 왔다.
해설 과거부터 현재까지 계속된 일을 나타낼 때 현재완료 「have[has]+과거분사」를 쓴다.

4 **해석** 전쟁이 일어나기 전에, 그들의 결혼 생활은 만족스러웠다.
해설 전쟁이 일어난 것보다 결혼 생활이 만족스러웠던 것이 이전의 일이므로 과거완료로 써야 한다.

5 **해석** 그 나라는 쓰나미의 위험을 과소평가해 왔다.
해설 현재완료는 「have[has]+과거분사」의 형태이다.

6 **해석** 내가 집에 갔을 때, 그는 화학 보고서를 작성하고 있었다.
해설 과거 시점 이전에 시작되어 그때까지 진행되고 있던 일이므로 과거완료 진행형으로 써야 한다.

4 Day 기초 유형 연습 pp. 32~33

Words in Paragraphs
1 conscious 2 unsatisfactory
Grammar for Tests
3 ③ 4 ②

1 **해석** 자유에 대한 그리스 예술의 위대한 각성은 기원전 520년과 420년 사이에 발생했다. 5세기 말로 가면서, 예술가들은 자신들의 힘과 뛰어난 솜씨를 완전히 자각하게 되었으며 대중들 또한 그러했다. 점점 더 많은 사람이 예술 작품 자체 때문에 그들의 작품에 관심을 갖기 시작했다.
해설 예술가들이 자신들의 힘과 뛰어난 솜씨를 '자각하게(conscious)' 되어 더 많은 사람이 예술 작품에 대해 관심을 갖게 되었다는 흐름이 되어야 자연스럽다.

2 **해석** 만약 운동선수들이 혼자서 훈련하기를 선호할 때 여러분이 충고를 주려고 시도한다면, 여러분은 시간을 낭비하고 있는 것일지도 모른다. 운동선수들은 최선을 다한 자신들의 노력이 불만족스러운 성과를 내고 있음을 깨달을 때, 대개 여러분이 말하고자 하는 것을 들으려고 하는 동기를 더 많이 부여받는다. 다시 말해서, 운동선수들은 그들이 바라고 있던 성과를 달성하지 못할 때 충고에 반응을 보인다.

끊어 읽기

If / you / attempt / to give advice /
만약 / 여러분이 / 시도하다 / 충고를 주는 것을
when athletes would prefer / to practice on their own, /
운동선수들이 선호할 때 혼자서 훈련하기를
you / may be wasting / your time.
여러분은 / 낭비하고 있을지도 모른다 / 여러분의 시간을

해설 운동선수들이 바라던 성과를 이루는 데 실패할 때 충고에 반응을 보인다는 내용이 이어지므로 '불만족스러운(unsatisfactory)' 성과를 내고 있을 때 충고를 들으려고 한다는 내용이 되어야 한다.

어휘 waste 낭비하다 realize 깨닫다 effort 노력 produce (어떤 결과를) 낳다

3 **해석** 몇 년 전에, 학생들은 이산화탄소가 식물에게 있어서 자연스럽게 발생하는 생명의 원천이라고 배웠다. 오늘날, 아이들은 이산화탄소를 독소라고 생각하기가 더 쉽다. 그것은 대기 중의 이산화탄소의 양이 지난 백 년에 걸쳐서 입자 백만 개당 약 280개에서 380개로 크게 상승했기 때문이다.

구문 풀이

- 명사절 that carbon dioxide is the naturally occurring lifeblood of plants가 were taught의 목적어이다.

해설 ① 뒤에 오는 분사형 형용사 occurring을 수식하는 부사가 와야 하므로 naturally는 어법상 맞다.
② 뒤에 절이 이어지고 있으므로 접속사 because가 맞다.
cf. because of 뒤에는 명사(구)가 온다.
③ 지난 백 년에 걸쳐 이산화탄소의 양이 계속 증가해 온 것이므로 현재완료로 나타내고 주어인 the amount가 단수이므로 단수 동사를 써야 한다. (→ has increased)

어휘 be likely to ~하기 쉽다 amount 양 part (조합·성분 등의) 비율 per ~당

4 **해석** 어느 날, 나는 화장실 안에 있었는데, 문의 잠금 장치가 작동되지 않았다. 나는 뒤쪽 벽에 있는 작은 창문이 생각났다. 창문 밖으로 기어나간 후, 나는 창턱에 몇 초간 매달려 있다가 쉽게 땅으로 뛰어내렸다. 나중에 어머니가 집에 오셔서 내게 뭘 하고 있었는지 물어보셨다. 나는 웃으면서 "아, 그냥 돌아다녔어요."라고 대답했다.

구문 풀이

- **After climbing out the window**: After I was climbing ~에서 주어와 동사가 생략되었다.

해설 ① I가 주어이고 hung이 본동사이다. 글의 전체 시제가 과거이므로 과거형 동사가 쓰였다.
② 엄마가 집에 와서 물어본 것보다 내가 하고 있던 일이 더 앞선 시점의 일이므로 과거완료 진행형인 「had+been+현재분사」로 나타내야 한다. (→ had)
③ 동시동작을 나타내는 분사구문으로 As I laughed로 바꿔 쓸 수 있다.

5 Day Words from the Tests

개념 원리 확인 ① p. 35

1 ① 2 ② 3 ③ 4 ① 5 ② 6 ②

1 ① *a.* 불확실한; 확신이 없는 ② *a.* 자신 있는 ③ *a.* 놀랍지 않은
2 ① *a.* 간단한 ② *a.* 복잡한 ③ *a.* 헌신적인
3 ① *a.* 복잡한 ② *a.* 인기 없는 ③ *a.* 복잡하지 않은, 단순한
4 ① *v.* 첨부하다 ② *v.* 참석하다 ③ *v.* 마음을 끌다
5 ① *v.* ~이 들어 있다 ② *a.* 확신하는; 확실한 ③ *ad.* 확실히
6 ① *v.* 붙이다, 첨부하다 ② *v.* 떼다[분리하다], 분리되다 ③ *v.* 출발하다

5 Day Grammar from the Tests

개념 원리 확인 ② p. 37

1 were written **2** attached **3** encouraged
4 have been used **5** be buried **6** being

1 **해석** 그 서류들은 복잡한 언어로 쓰였다.
해설 서류들은 '쓰인' 것이므로 수동태인 「be동사+과거분사」로 나타낸다.

2 **해석** 움직임을 추적하기 위해 위치 추적 장치가 차량에 부착될 것이다.
해설 위치 추적 장치는 '부착될' 것이므로 미래 시제 수동태인 「will be+과거분사」로 나타낸다.

3 **해석** 수십 년 동안, 전문가들은 부모들이 아이들에게 매일 책을 소리 내어 읽어주도록 권장해 왔다.
해설 주어가 동작을 하는 행위자이므로 능동태로 나타내야 한다.

4 **해석** 허브는 세계의 여러 문화에서 수 세기 동안 약으로 사용되어 왔다.
해설 허브는 '사용되어' 온 것이므로 현재완료 수동태인 「have+been+과거분사」로 나타낸다.

5 **해석** 어떤 사람들은 인디언들의 뼈가 그 동굴에 매장되었을지도 모른다고 생각한다.
해설 뼈는 '매장되는' 것으로 수동태로 나타내야 하고 조동사가 있을 때 「조동사+be+과거분사」의 형태이다.

6 **해석** 그 새는 포식자에게 쫓기고 있음이 틀림없었다.
해설 새는 포식자에게 '쫓기는' 것으로 행위를 당하는 대상이므로 진행 시제의 수동태인 「be동사+being+과거분사」로 나타낸다.

5 Day 기초 유형 연습 pp. 38~39

Words in Paragraphs
1 uncertain 2 detached
Grammar for Tests
3 ① 4 ①

1 **해석** 유럽의 최초 '호모 사피엔스'는 주로 큰 사냥감, 특히 순록을 먹고 살았다. 심지어 이상적인 상황에서도 이 빠른 동물을 창이나 활과 화살로 사냥하는 것은 불확실한 일이다.
해설 '심지어 이상적인 상황에서도'라는 뜻의 양보 부사구로 보아, 순록을 사냥하는 것은 '불확실한(uncertain)' 일이라는 흐름이 되어야 자연스럽다.
어휘 particularly 특히 circumstance 상황, 환경 bow 활 arrow 화살 task 일, 과업

2 **해석** 나는 자신의 외동아이의 탄생 사진을 찍는 데에 진지하게 몰두했던 한 아버지를 알고 있다. 사진들은 아름다웠지만, 자기 아들의 삶에서 가장 중요한 첫 번째 순간을 놓쳤다는 느낌이 들었다고 그는 말했다. 카메라 렌즈를 통해 보는 것은 그를 현장에서 분리되도록 만들었다. 그는 체험자가 아니라 단지 관찰자였다.
구문 풀이
- Looking through the camera lens made him detached from the scene.
  (Looking through the camera lens: 동명사구 주어 / made: 사역동사 / him: 목적어 / detached from the scene: 목적격 보어(목적어와 수동 관계이므로 과거분사를 쓴다.))

해설 자신의 아이의 탄생을 체험한 것이 아니라 관찰한 것이라는 내용이 이어지므로 카메라 렌즈를 통해 보는 것이 그를 현장에서 '분리되도록(detached)' 만들었다고 해야 한다.

3 **해석** 초콜릿은 서늘하고 건조한 장소에서 1년까지 유지될 수 있다. 비록 초콜릿이 냉장고나 냉동고에 보관될 수는 있지만, 그것은 시간이 지나면 다른 음식의 냄새를 지니게 될 것이므로 사용하기 전에 맛을 보도록 하라. 또한, 냉동된 초콜릿 조각은 항상 약간 딱딱하고 맛이 없는 인상을 주기 때문에, 먹기 전에 상온에 초콜릿을 가져다 놓을 것을 명심하라.
구문 풀이
- Though chocolate may be kept in the refrigerator or freezer, it will take on the smells of other foods in time, so taste before using.
  (Though: 비록 ~하더라도 / may be kept: 조동사가 있는 수동태: 「조동사+be+과거분사」 / it: = chocolate / taste: 명령문의 동사)

해설 ① 주어인 초콜릿이 '보관되는' 대상이므로 수동태를 써야 하고, 조동사가 있는 수동태는 「조동사+be+과거분사」로 나타낸다. (→ be kept)
② 주어가 생략되고 동사원형으로 시작하는 명령문의 형태이다.
③ 이유의 접속사 as가 이끄는 부사절의 주어부는 frozen bits of chocolate이고 핵심 주어는 bits이므로 복수 동사를 쓴다.
어휘 refrigerator 냉장고 freezer 냉동고 frozen 냉동된

4 **해석** 사람들이 진짜 역경에 직면할 때 애완동물의 지속적인 애정은 그들에게 중요해진다. 그것은 그들에게 그들의 본질이 손상되지 않았다고 안심시켜 준다. 그러므로 애완동물은 우울증이 있는 환자들의 치료에 중요하다. 게다가 애완동물은 노인들에게 매우 유익하게 이용된다.
해설 ① 주절의 주어는 a pet's continuing affection으로 단수이고, 본동사가 없으므로 becoming을 현재형 단수 동사로 고쳐야 한다. (→ becomes)
② 수식을 받는 명사 patients가 감정을 느끼는 주체이므로 과거분사 depressed는 어법상 맞다.
③ 애완동물이 행위를 당하는 대상이므로 수동태가 알맞다.
어휘 continuing 지속적인 damage 손상시키다 depressed 우울증을 앓는

1주 누구나 100점 테스트 pp. 40~41

1 ⑤ 2 ③ 3 ① 4 ③

1 **해석** 가족 간의 갈등에 대처하는 데 가장 좋은 처방 중 하나는 미안하다고 말하는 것이다. 몇몇 사람들은 그것이 약점을 보여준다고 생각한다. 전혀 그렇지 않다. 사실, 정확하게 반대이다. 갈등을 덜어 주는 또 다른 좋은 방법은 말다툼이다. 비가 온 뒤에 땅이 굳는다. 말다툼은 또 다른 이점을 갖고 있다. 화가 날 때, 대개 입 밖에 내지 않은 진실이 나오게 된다. 그것들은 감정을 상하게 할 수도 있지만 결국에는 서로를 더 잘 알게 된다. 마지막으로 아이들 간의 갈등의 대부분은 위험한(→ 자연스러운) 것이므로 너무 걱정하지 마라.
구문 풀이
- 첫 문장에서 One of the ~ tension이 주어부이고 「one of+복수 명사」는 단수 취급하므로 단수 동사 is가 온다.

해설 ⑤ 아이들 간의 갈등에 대해 너무 걱정하지 말라는 내용이 이어지므로 갈등은 '자연스러운' 것이라는 의미가 되도록 natural이 와야 알맞다.

어휘 remedy 처방 cope with ~을 다루다 tension 갈등 weakness 약함, 약점 opposite 정반대의 relieve 덜어 주다 temper 화 raise 불러일으키다, 자아내다 unspoken 입 밖에 내지 않은 risky 위험한

2 해석 성실한 사람은 성실하지 않은 사람보다 마감 기한을 맞추는 경우가 더 많을 것이라고 흔히들 믿는다. 하지만 Walter Mischel은 성격 특성과 행동 사이의 전형적인 상관관계가 그리 크지 않다는 것을 발견했다. Mischel은 성격 심리학자들이 상황적인 영향력을 과대평가했다(→ 과소평가했다)고 주장했다. 예를 들어, 어떤 사람이 마감 기한을 맞출 것인지 아닌지를 예측하기 위해서는 (그 사람이 처한) 상황에 대해 무언가를 아는 것이 더 유용할 수 있다. 상황적인 영향은 매우 강력할 수 있고, 때로는 성격상의 개인적 차이를 압도한다.

구문 풀이

- **It is often believed that**: that절을 목적어로 하는 문장의 수동태로 People often believe that ~으로 바꿔 쓸 수 있다.
- **Mischel argued that personality psychologists had underestimated the power of situational influences.**: Mischel이 주장한 것보다 성격 심리학자들이 상황적인 영향력을 과소평가한 것이 더 이전에 일어난 일이므로 과거완료인 「had+과거분사」로 나타낸다.
- **To predict whether a person will meet a deadline**: To predict는 to부정사의 부사적 용법으로 목적을 나타내고, whether가 이끄는 명사절은 동사 predict의 목적어이다.

해설 ③ 개인의 성격 특성에 비해 상황적인 영향력을 덜 중요하게 생각했던 성격 심리학자들의 주장이 틀렸다는 내용이 이어지고 있으므로 '과소평가했다'라는 의미의 underestimated가 알맞다.

어휘 diligent 성실한, 근면한 meet a deadline 마감 기한을 지키다 typical 전형적인 personality trait 성격 특성 behavior 행동 modest 그다지 크지 않은 psychologist 심리학자 situational 상황적인 influence 영향 predict 예측하다 overwhelm 압도하다 individual 개인적인

3 해석 21세기 초에 고급 빵과 페이스트리의 인기는 빠르게 상승하고 있다. 아주 흥미롭게도 제빵에서의 많은 기술적 발전은 제빵사와 소비자들 사이에 똑같이 하나의 반응을 촉발했다. 그들은 제빵이 더 산업화되면서 사라진 옛날 빵의 몇 가지 맛을 되찾기를 원하고 있다. 제빵사들은 과거의 시큼한 맛이 나는 수제 반죽으로 만든 빵을 생산하는 방법을 연구하고 있다.

끊어 읽기

They are looking / to reclaim / some of the flavors /
그들은 원하고 있다 되찾기를 몇 가지 맛을
of old-fashioned breads / that were lost /
옛날 빵의 사라진
as baking became more industrialized.
제빵이 더 산업화되면서

해설 ① 주어부인 the popularity of fine breads and pastries에서 핵심 주어 the popularity가 단수이므로 단수 동사가 와야 한다. (→ is)
② enough는 형용사나 부사를 뒤에서 수식한다.
③ many of the technological advances가 주어이므로 복수 동사를 써야 하고, 과거의 일이 현재에 영향을 미치고 있으므로 현재완료를 쓰는 것이 알맞다.
④ 주격 관계대명사 that의 선행사는 some of the flavors로 복수이며, 의미상 '맛들 중 몇 가지가 사라진' 것이므로 수동태가 알맞다.
⑤ 전치사 for의 목적어로 동명사가 온다.

어휘 popularity 인기 fine 고급의 technological 과학 기술의 advance 발전 spark 촉발하다 reaction 반응 reclaim 되찾다 flavor 맛 old-fashioned 옛날(식)의, 전통적인 industrialized 산업화된 method 방법 sourdough 시큼한 맛이 나는 반죽

4 해석 여러분은 마음에 드는 아이디어가 있을 때, 흔히 다른 모든 사람들도 똑같이 느낄 것이라고 생각한다. 만약 그들이 그러지 않는다면, 그것은 매우 흔히 "그들이 단지 이해하지 못한다!"라는 문제가 되어버린다. 만약 여러분 주변의 직장 동료가 여러분의 생각, 즉 그것의 잠재력을 이해하지 못한다면 여러분은 중요한 메시지를 받고 있는 것이다. 아마도 자신이 해결하고 있다고 생각하는 문제에 대한 여러분의 견해가 다른 동료에 의해 공유되지 못하고 있는 것은 아닌가? 만약 여러분의 직장 동료가 그 견해를 이해하지 못한다면, 여러분의 고객들 역시 그러지 못할지도 모른다. 여러분이 자신의 생각을 설명해 주는 모든 사람이 그것을 이해할 때까지 끊임없이 노력하라.

구문 풀이

- **Maybe your view of a problem that you think you are solving**: that ~ solving은 a problem을 수식하는 목적격 관계대명사절이고 you think는 삽입절이다.
- **until everyone you explain your idea to understands it**: 목적격 관계대명사절인 you explain your idea to가 everyone을 수식한다. everyone은 단수 취급하므로 단수 동사 understands를 쓴다.

해설 ① 주어 it은 단수이므로 단수 동사 becomes는 어법에 맞다.
② 주어 a colleague가 단수이므로 doesn't가 알맞다.
③ 중요한 메시지가 '주어지고 있는' 것이므로 진행 시제의 수동태인 「be동사+being+과거분사」로 나타낸다. (→ being given)
④ 견해가 다른 동료에 의해 '공유되지' 못하는 것이므로 수동태가 알맞게 쓰였다.
⑤ either는 부정문에서 '또한, 역시'라는 의미로 쓰인다.

어휘 colleague 직장 동료 potential 잠재력 view 견해 share 공유하다 coworker 직장 동료 consumer 소비자, 고객 constant 끊임없는

창의 · 융합 · 사고력 pp. 42~47

A 1 최소한의 2 과소평가하다 3 고의적인
4 확신하는
B 1 available 2 exclude 3 satisfactory
4 attached

A 해석 **여1** 너 다트 게임 할래?
여2 좋아. 진 사람은 이긴 사람이 뭐라고 말하든 들어줘야 해.
여1 그래. 나는 내가 최소한의 노력으로 이길 수 있다고 자신해!
여2 네 상대를 결코 과소평가하지 마.
여1 이건 내 마지막 기회야. 이것은 내게 이겨야만 하는 게임이야.
강아지 컹! 컹!
여1 야, Buddy, 너 고의적이었지, 그렇지 않아?
여2 나는 그가 고의적이었다고 확신해.

B 해석 **여** 야외 자리가 이용 가능한가요?
남 물론이죠. 이쪽으로 오세요.
여 저는 채식주의자예요. 채식주의자를 위한 메뉴가 있나요?
남 물론입니다. 이 메뉴 항목들은 동물을 재료로 한 성분을 제외합니다.
남 식사는 만족스러우셨나요?
여 정말 만족스러웠어요. 감사합니다.
남 저희는 다음 주문에 쓰실 수 있는 쿠폰을 첨부하였습니다. 곧 다시 방문해주시기 바랍니다.

C 1 ⓐ, ⓕ 2 ⓑ, ⓔ 3 ⓒ 4 ⓓ
D 1 unconscious 2 unintentional 3 disregard
4 impractical 5 disadvantage 6 incurable
E

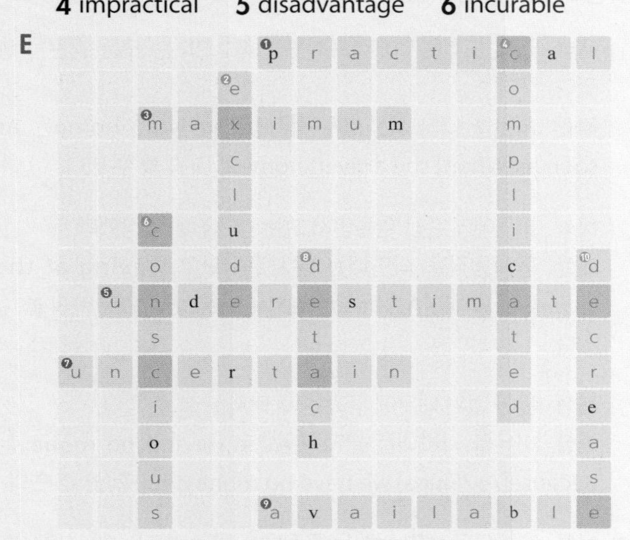

F 1 has 2 make 3 were detected
4 had come 5 found 6 have

G 1 (1) 잘못 말한 사람: Ted
(2) 바르게 고친 문장: Many tickets have been bought by genuine sports fans.
2 (1) 잘못 말한 사람: Eva
(2) 바르게 고친 문장: I have tried to lose weight since I was 12.
3 (1) 잘못 말한 사람: Sam
(2) 바르게 고친 문장: I agree that animals must be protected.

D **1** 해석 그들은 그가 의식을 잃은 채 바닥에 누워있는 것을 발견했고 119에 전화했다.

2 해석 나는 그녀의 고의가 아닌 실수에 대해 그녀를 용서했다.

3 해석 안전수칙을 무시한다면 너는 위험에 처할 수 있다.

4 해석 그녀는 하이힐을 무척 좋아하지만 그것은 비실용적인 편이다.

5 해석 이 방법은 단 한 가지 단점이 있다. 그것은 비용이 너무 많이 든다는 것이다.

6 해석 불치병 환자들은 호스피스(말기 환자용 병원)로 보내진다.

E 해석

Across

❶ 실제 사용이나 실행에 관련된 유의어 효과적인, 유용한
❸ 가능한 것 중 가장 많은 양 반의어 최소
❺ 어떤 것이 실제보다 더 적거나 가치가 더 낮다고 생각하다
❼ 어떤 것에 대해 의심을 느끼는 유의어 확실하지 않은
❾ 구입되거나 이용될 수 있는

Down

❷ 어떤 것을 고의적으로 포함하지 않다
❹ 이해하기 어려운 유의어 복잡한
❻ 어떤 것을 알고 있는; 깨어 있는
❽ 어떤 것으로부터 분리되다
❿ 크기나 숫자 등이 줄다 유의어 줄다

F **1** 해석 관광객의 수는 증가해 왔다.
해설 the number of는 '~의 수'라는 의미로 단수 취급한다.

2 해석 청소하기와 같은 매일 하는 집안일은 우리를 피곤하게 만든다.
해설 Everyday chores가 주어이므로 복수 동사를 써야 한다.

3 해석 유아용 티셔츠에서 독성 물질이 발견되었다.
해설 주어가 행위의 대상이므로 수동태를 써야 한다.

4 해석 나는 그녀에게 어떻게 그것을 생각해 냈는지 물었다.
해설 내가 그녀에게 물었던 것보다 그녀가 그것을 생각해 낸 것이 더 이전의 일이므로 과거완료로 나타내야 한다.

5 해석 수년간, 그들은 공룡 화석을 발견해 왔다.
해설 과거부터 현재까지 계속된 일을 나타낼 때 현재완료를 쓴다.

6 해석 연구원들은 녹색 공간이 진정 효과를 가진다고 주장해왔다.
해설 접속사 that절의 주어는 green spaces이다. 이어 복수형의 본동사가 와야 한다.

G 1 해설 표가 '구입되어져 왔다'라는 의미가 되어야 하므로 현재완료 수동태인 「have+been+과거분사」로 나타낸다.

2 해설 과거부터 현재까지 계속되고 있는 일은 현재완료인 「have+과거분사」로 나타낸다.

3 해설 동물들이 '보호받아야 한다'라는 의미가 되도록 수동태로 나타내야 한다. 조동사가 있는 수동태는 「조동사+be+과거분사」의 형태이다.

2주 반의어 2/준동사

이번 주에는 무엇을 공부할까? ❶

pp. 48~49

1 ❶ 흔한 ❷ 독특한
2 ❶ 공격하다 ❷ 방어하다
3 ❶ 결합하다[되다] ❷ 분리하다[되다]
4 ❶ 부인[부정]하다 ❷ 인정[시인]하다

이번 주에는 무엇을 공부할까? ❷

pp. 50~51

간단 체크 1

(1) 목적어 (2) 목적어 (3) 보어 (4) 주어

(1) **해석** Wendy는 호주에 가기로 결정했다.
해설 to go는 동사의 목적어로 쓰인 to부정사이다.

(2) **해석** 너는 벽을 칠하는 것을 먼저 마쳐야 한다.
해설 painting은 동사 finish의 목적어로 쓰인 동명사이다.

(3) **해석** 내 꿈은 가수가 되는 것이다.
해설 becoming은 주어인 My dream을 보충 설명하는 보어로 쓰인 동명사이다.

(4) **해석** 밤에 혼자 거리를 걷는 것은 안전하지 않다.
해설 To walk는 문장에서 주어로 쓰인 to부정사이며 '걷는 것은'이라고 해석한다.

간단 체크 2

(1) c (2) a (3) b (4) d

(1) **해석** 집에 도착하자마자[도착했을 때] 그녀는 모든 창문을 열었다.
해설 시간을 나타내는 분사구문으로 Arriving home은 As soon as[When] she arrived home과 바꿔 쓸 수 있다.

(2) **해석** 군중에게 손을 흔들면서 그는 경기장에 입장했다.
해설 동시동작을 나타내는 분사구문으로 Waving at the crowds는 While[As] he waved at the crowds로 바꿔 쓸 수 있다.

(3) **해석** 돈이 없기 때문에 우리는 새 탁자를 살 수 없다.
해설 이유를 나타내는 분사구문으로 Having no money는 Because[As/Since] we have no money와 바꿔 쓸 수 있다.

(4) **해석** 왼쪽으로 돌면 당신은 꽃집을 찾을 수 있다.
해설 조건을 나타내는 분사구문으로 Turning to the left는 If you turn to the left와 바꿔 쓸 수 있다.

1 Day Words from the Tests

개념 원리 확인 ① p. 53

1 ① 2 ③ 3 ① 4 ① 5 ② 6 ②

1 ① *v.* 짰다 ② *v.* 암기했다 ③ *v.* 풀어 주었다
2 ① *v.* 깨달았다 ② *v.* 줄였다 ③ *v.* 풀어 주었다
3 ① *n.* 가난 ② *n.* 재산 ③ *n.* 번영
4 ① *n.* 부 ② *a.* 부유한 ③ *n.* 경고(문), 주의
5 ① *n.* 물리학 ② *a.* 신체적인 ③ *a.* 물질적인
6 ① *a.* 도덕적인 ② *a.* 정신적인 ③ *a.* 지적인

1 Day Grammar from the Tests

개념 원리 확인 ② p. 55

1 Reading 2 showing 3 Getting 4 considering
5 having 6 releasing

1 **해석** 책을 읽는 것은 당신의 어휘력을 늘릴 수 있다.
해설 동명사는 문장에서 주어 역할을 한다.

2 **해석** 그 신사는 자신의 부를 과시하는 데 관심이 없다.
해설 전치사의 목적어로 명사나 동명사가 온다.

3 **해석** 충분한 수면을 취하는 것은 당신의 신체적 그리고 정신적 건강에 좋다.
해설 동명사는 문장에서 주어 역할을 한다.

4 **해석** 사람들은 결과를 고려하지 않고 고래를 죽이고 있다.
해설 전치사의 목적어로 동명사가 온다. to부정사는 전치사의 목적어로 쓸 수 없다.

5 **해석** 그 화가의 꿈은 자신만의 미술 전시회를 여는 것이다.
해설 동명사는 문장에서 보어 역할을 한다.

6 **해석** 그 가수는 새 앨범을 발매하기를 고대하고 있다.
해설 look forward to의 to는 전치사이고, 전치사 뒤에는 명사나 동명사가 온다.

1 Day 기초 유형 연습 pp. 56~57

Words in Paragraphs
1 physical 2 squeeze
Grammar for Tests
3 ① 4 ②

1 **해석** '먹는 것이 여러분을 만든다.' 그 구절은 흔히 여러분이 먹는 음식과 여러분의 신체 건강 사이의 관계를 보여주기 위해 사용된다. 때때로 그것들(음식) 안에 정확히 무엇이 들어 있는지 알기가 어렵다면 식품 라벨을 읽어라. 식품 라벨은 여러분이 먹는 식품에 관한 정보를 알아내는 좋은 방법이다.

구문 풀이
- When it(가주어) is sometimes difficult to know exactly(진주어(to know ~ them)) [what is inside them](명사절(동사 know의 목적어)), read food labels.

해설 식품 라벨을 통해 식품에 관한 정보를 확인하고 음식을 먹으라는 내용이 이어지는 것으로 보아 '먹는 것이 여러분을 만든다'라는 구절은 먹는 음식과 '신체적(physical)' 건강 사이의 관계를 보여준다는 것을 알 수 있다.

2 **해석** 당신은 아이들에게 고양이를 방해하지 말라고 가르쳐야 한다. (그 중에서도) 특히 고양이가 자신의 잠자리에서 쉬고 있을 때 고양이를 움켜잡아서 고양이를 방해하면 안 된다고 가르쳐야 한다. 어린 아이들이 새끼 고양이나 고양이를 들어 올리도록 두지 마라. 왜냐하면 아이들은 그들의 배 주위를 너무 세게 꼭 껴안을지도 모르고, 그것은 고양이들이 안기는 것을 평생 싫어하게 만들 수 있다.

끊어 읽기
Don't let / young children / pick up kittens and cats, /
~하게 두지 마라 / 어린 아이들이 / 새끼 고양이나 고양이를 들어 올리도록 /
because / they may squeeze them / too hard /
~이기 때문에 / 그들은(아이들은) 고양이를 껴안을지도 모른다 / 너무 세게
around the belly / and make them hate /
배 주위를 / 그리고 그들이(고양이들이) 싫어하게 만들지도 모른다
being carried / for life.
안기는 것을 / 평생

해설 아이들이 고양이를 들어 올리지 못하도록 해야 하는 이유는 그들이 고양이를 너무 세게 '꼭 껴안을(squeeze)' 수도 있기 때문이라고 하는 것이 문맥상 자연스럽다.

3 **해석** 화상 진단 기술인 초음파는 음파가 신체 내부의 기관에 부딪혀 되돌아오게 함으로써 이미지를 만들어 낸다. 그러면 반사된 음파를 이용하여 사진이 만들어진다. 의사들은 내부 장기의 크기와 구조를 시각화하기 위해 초음파를 이용한다.
해설 ① 전치사 by 뒤에 동사가 올 수 없으므로 명사 역할을 하는 동명사로 고쳐야 한다. (→ bouncing)
② 사진이 '만들어지는' 것이므로 「be동사+과거분사」의 수동태가 바르게 쓰였다.

③ 목적을 나타내는 부사적 용법의 to부정사로, '시각화하기 위해'라고 해석한다.

4 **해석** 당신은 당신의 강점과 약점에 대하여 스스로에게 정직한가? 스스로에 대해 확실히 알고 당신의 약점이 무엇인지를 파악하라. 당신의 문제에 있어 스스로의 역할을 받아들이는 것은 해결책도 당신 안에 있다는 것을 이해함을 의미한다. 만약 당신이 특정 분야에 약점이 있다면, 배워서 상황을 개선하기 위해 스스로 해야만 할 것들을 행하라.

구문 풀이

- Accepting [To accept] your role in your problems (동명사구 주어[to부정사구 주어]) means (단수 동사) [that you understand the solution lies within you]. (명사절(동사 means의 목적어))

해설 ① 주어와 목적어가 같은 대상을 가리키므로 재귀대명사 yourself가 바르게 쓰였다.
② 문장의 동사는 means이고 주어가 없기 때문에 Accept ~ problems가 주어가 되어야 한다. 동사가 문장에서 주어 역할을 하려면 동명사 또는 to부정사 형태가 되어야 한다.(→ Accepting[To accept])
③ 앞에 선행사가 없고, 뒤에 불완전한 절이 이어지는 것으로 보아 동사 do의 목적어에 해당하는 명사절을 이끄는 관계대명사 what이 바르게 쓰였다.

2 Day Words from the Tests

개념 원리 확인 ① p. 59

1 ③ 2 ① 3 ① 4 ② 5 ② 6 ①

1 ① *a.* 관대한 ② *v.* 아주 많다, 풍부하다 ③ *a.* 풍부한, 많은
2 ① *ad.* 주로, 일반적으로 ② *a.* ~할 것 같은
③ *ad.* 드물게, 좀처럼 ~하지 않는
3 ① *v.* 허락하다 ② *v.* 동의하다 ③ *v.* 신청하다; 지원하다
4 ① *v.* 강요하다 ② *v.* 금지하다 ③ *v.* 허락하다
5 ① *a.* 고의적인 ② *a.* 불충분한 ③ *a.* 독립적인
6 ① *ad.* 드물게, 좀처럼 ~하지 않는 ② *ad.* 거의
③ *ad.* 그저, 단지

2 Day Grammar from the Tests

개념 원리 확인 ② p. 61

1 to prove 2 to buy 3 to donate 4 to forbid
5 To travel 6 to see

1 **해석** 변호사는 그의 무죄를 입증하기 위해 많은 증거를 수집했다.
해설 목적을 나타내는 부사적 용법의 to부정사로, '~하기 위해'라고 해석한다.

2 **해석** 그녀의 급여는 자신의 차를 사기에 부족하다.
해설 '~하기에'라는 의미로 형용사 insufficient를 수식하는 부사적 용법의 to부정사이다.

3 **해석** 나는 이 책들을 거의 읽지 않기 때문에 그것들을 도서관에 기증하기로 결정했다.
해설 동사 decide는 목적어로 to부정사가 온다.

4 **해석** 어떤 사람들은 담배 광고를 금지시키는 것이 필수적이라고 말한다.
해설 it이 가주어이고 to부정사구가 진주어이다.

5 **해석** 세계를 여행하는 것은 많은 시간과 돈을 필요로 한다.
해설 명사적 용법으로 쓰인 to부정사로 문장에서 주어 역할을 한다.

6 **해석** 레오나르도 다빈치는 다른 사람들이 보지 못했던 것을 보는 비범한 능력이 있었다.
해설 to부정사가 명사 ability를 뒤에서 수식하는 형용사적 용법으로 쓰였다.

2 Day 기초 유형 연습 pp. 62~63

Words in Paragraphs
1 allows 2 rarely
Grammar for Tests
3 ② 4 ①

1 **해석** 교사들이 고립된 채 일을 할 때 그들은 오직 한 쌍의 눈, 즉 자기 자신의 눈으로 세상을 보는 경향이 있다. 일을 더 잘하거나 최소한 다르게 하는 사람들을 벤치마킹할 수 있게 해 주는 과정이 없는 상태에서, 교사들은 하나의 시각, 즉 자기 자신의 시각만을 갖게 된다.

끊어 읽기
In the absence of a process (과정이 없는 상태에서) / that allows them to benchmark (그들이 벤치마킹할 수 있게 해 주는) / those who do things better (일을 더 잘 하는 사람들을) / or at least differently, (또는 최소한 다르게) / teachers are left (교사들은 남겨진다) / with that one perspective (한 가지 시각만 가진 채) / — their own. (그들 자신의)

해설 혼자 고립되어 일하는 교사는 일을 더 잘하거나 최소한 다르게 하는 다른 교사에 대한 벤치마킹을 '할 수 있게 해 주는' 과정이 없는 상태라고 해야 자연스러우므로 allows가 알맞다.

2 **해석** 사무실에서 일을 마치는 것이 항상 쉽지만은 않다. 정규 근무 시간 중에는 앉아서 집중할 수 있는 조용한 시간이 거의 없다. 사무직 근로자들은 전화벨 소리와 잡담을 하는 동료들에 의해 주기적으로 방해를 받는다.

구문 풀이

- Office workers are regularly interrupted by ringing phones and chatting coworkers.
  (수동태: 「be동사+과거분사+by+행위자」 / 병렬)

해설 사무직 근로자들은 주기적으로 방해를 받는다는 내용이 이어진다. 따라서 정규 근무 시간 중에는 조용한 시간이 '거의 없다'는 말이 되어야 하므로 rarely가 적절하다. frequently는 '자주, 흔히'라는 뜻이다.

3 **해석** 고대의 지도들은 현대의 지도와 동일한 과정을 거쳐서 고안되지 않았다. 오늘날의 지도 제작자들과는 다르게, 초기의 지도 제작자들은 지도를 만들기 위해서 문학에 의존했다. 예를 들어, 실제 장소들에 대한 묘사를 담고 있었던 Homer의 'Iliad'는 많은 초기 지도들의 기반이었다.

해설 ① 앞의 be동사로 보아 수동태임을 알 수 있다. 주어인 ancient maps가 '고안되지' 않은 것이므로 conceive의 과거분사형이 바르게 쓰였다.

② 문장의 본동사는 relied이므로 동사가 또 올 수 없다. 초기의 지도 제작자들이 문학에 의존한 것은 '지도를 만들기 위해서'였으므로 목적을 나타내는 to부정사가 와야 한다. (→ to create)

③ 문장의 주어는 Homer's *Iliad*로 단수이다. 글 전체의 시제가 과거이므로 과거 시제의 단수 동사 was가 바르게 쓰였다.

어휘 process 과정 modern 현대의 unlike ~와 달리 actual 실제의

4 **해석** 르네상스 시대에, 많은 유럽인들은 부유해지고 있었다. 신흥 부유 상인들은 그들이 써야 할 돈이 있다는 것을 알게 되었다. 많은 액수의 돈이 사치품에 쓰였다. 하지만 모든 사람이 부자가 된 것은 아니었다. 사실, 많은 소작농들은 예전보다 훨씬 더 가난해졌다.

구문 풀이

- **Newly rich merchants found themselves with money to spend.**: 주어와 목적어가 Newly rich merchants로 같은 대상이므로 재귀대명사 themselves를 쓴다.

해설 ① '써야 할 돈'이라는 의미가 되도록 앞의 money를 수식하는 형용사적 용법의 to부정사가 와야 한다. (→ to spend)

② 많은 돈이 '쓰였던' 것이므로 「be동사+과거분사」의 수동태가 바르게 쓰였다.

③ even은 비교급 앞에 쓰여 '훨씬'이라는 의미를 나타낸다.

3 Day Words from the Tests

개념 원리 확인 ① p. 65

1 ② 2 ③ 3 ① 4 ② 5 ① 6 ①

1 ① *n.* 부족 ② *n.* 약점 ③ *n.* 이점
2 ① *a.* 강한 ② *n.* 용기 ③ *n.* 강점
3 ① *v.* 결합하다 ② *v.* 국한시키다 ③ *v.* 확신시키다
4 ① *v.* 참다 ② *v.* 분리하다 ③ *n.* 분리, 구분
5 ① *v.* 인정하다 ② *v.* 허락하다 ③ *v.* 제출하다
6 ① *v.* 부인하다 ② *v.* 줄어들다 ③ *v.* 거절하다

3 Day Grammar from the Tests

개념 원리 확인 ② p. 67

1 to admit 2 watching 3 to know 4 denying
5 to pay 6 spending, talking

1 **해석** Ken은 그가 Jenny의 시계를 훔쳤다는 것을 인정하기로 결정했다.

해설 동사 decide의 목적어로 to부정사가 온다.

2 **해석** 나는 저 TV쇼를 90년도에 금요일 저녁마다 봤던 기억이 난다.

해설 「remember+동명사」는 '(과거에) ~한 것을 기억하다'라는 의미이다. *cf.* 「remember+to부정사」: (앞으로) ~할 것을 기억하다

3 **해석** 당신은 당신만의 강점과 약점을 알 필요가 있다.

해설 동사 need의 목적어로 to부정사가 온다.

4 **해석** 부정적인 감정은 자연스러운 것이므로 그것들을 부인하는 것을 멈추어라.

해설 「stop+동명사」는 '~하는 것을 멈추다'라는 의미이다. *cf.* 「stop+to부정사」: ~하기 위해 멈추다

5 **해석** 그는 내게 사과했고 손해를 배상하는 데 동의했다.

해설 동사 agree는 to부정사를 목적어로 쓴다.

6 **해석** 우리 할아버지는 공원에서 시간을 보내는 것과 낚시에 관한 이야기를 하는 것을 즐기신다.

해설 동사 enjoy의 목적어로 동명사가 온다. spending과 talking은 등위접속사 and로 연결된 병렬 구조이다.

3 Day 기초 유형 연습 pp. 68~69

Words in Paragraphs

1 ① 2 ③

Grammar for Tests

3 ① 4 ①

1 **해석** 대인 관계에서의 메시지는 내용 차원과 관계 차원을 분리한다(→ 결합한다). 예를 들어, 한 관리자가 한 수습 직원에게 "회의 후에 저 좀 봅시다."라고 말할 수 있다. 이 간단한 메시지는 내용 메시지를 담고 있다. 그것은 또한 관리자와 수습 직원 사이의 관계에 대해 무언가를 말해 주는 관계 메시지를 포함하고 있다.

끊어 읽기

It also contains / a relationship message /
그것은 또한 포함한다 관계메시지를
that says something / about the connection /
무언가를 말해 주는 관계에 대해
between the supervisor and the trainee.
관리자와 수습 직원 사이의

해설 ① 관리자와 수습 직원 간의 메시지를 살펴봄으로써 대인 관계 메시지가 포함하는 내용 메시지와 관계 메시지를 설명하는 내용의 글이다. 대인 관계 메시지는 두 화자 간의 관계 메시지를 포함한다고 했으므로 내용 차원과 관계 차원을 '결합한다는(combine)' 내용이 되어야 한다.

2 **해석** 좋은 사회적 관계를 유지하는 것은 죄책감에 대한 수용 능력에 달려 있다. 타인에게 해를 입히면 생기는 죄책감에 초점을 맞춰 온 Martin L. Hoffman은 이러한 죄책감에 대해 동기가 유발되는 기반은 공감의 고통이라고 시사한다. 공감의 고통은 사람들이 자신들의 행동이 타인에게 손해나 고통을 일으켰음을 부인할(→ 깨달을) 때 생긴다.

끊어 읽기

Martin L. Hoffman, / who has focused on / the guilt /
Martin L. Hoffman은 ~에 초점을 맞춰왔다 죄책감에
that comes from harming others, / suggests that /
타인에게 해를 입히는 것으로부터 생기는 ~라고 시사하다
the motivational basis / for this guilt /
동기를 주는 기반은 이러한 죄책감에 대해
is empathetic distress.
공감의 고통이다

해설 ③ 공감의 고통은 죄책감에 대한 동기가 유발되는 기반이라고 했으므로, 자신의 행동이 타인에게 해가 되었음을 '깨달을' 때 공감하는 고통이 생긴다고 하는 것이 자연스럽다. 따라서 deny(부인하다)를 realize(깨닫다) 등으로 바꾸는 것이 적절하다.

3 **해석** 직원들은 종종 급여 인상과 보너스 양쪽 다 또는 어느 한 쪽을 받기를 기대하지만 이 요인들은 단지 돈에 관한 것만은 아니다. 직원들은 그들의 일에 대하여 공정하게 보상받기를 원한다. 이와 같은 보상의 일부는 금전적일 수도 있지만, 종종 인정도 그만큼 중요하다. 사람들은 그들이 일을 잘해냈다고 듣는 것을 정말 좋아한다.

해설 ① 동사 expect의 목적어로는 to부정사가 온다. (→ to receive)
② 동사 want의 목적어로 to부정사가 알맞게 쓰였고 직원들이 '보상받는' 것이므로 수동태로 나타낸다.
③ love는 의미의 변화 없이 to부정사와 동명사 둘 다 목적어로 쓸 수 있다.

어휘 employee 고용인, 직원 expect 기대하다 receive 받다 factor 요소

4 **해석** 강사가 연속적으로 새로운 개념을 제시할 때, 어떤 학생들은 열심히 필기를 하고, 반면에 다른 학생들은 완전히 낙담해서 필기를 포기한다. 따라서 필기는 강의되고 있는 내용을 이해하며, 그것을 필기할 만큼 충분히 오래 작동 기억 속에 지니고 있는 사람의 능력에 좌우된다.

구문 풀이

- **some write furiously in their notebooks, while others give up writing**: some은 (여럿 중에서) 일부를 나타내고 others는 또 다른 일부를 나타낸다. 접속사 while은 대조를 나타내며 '~인 반면에'라고 해석한다.

해설 ① give up은 동명사가 목적어로 오는 동사이다. (→ writing)
② 앞의 명사 ability를 꾸미는 형용사적 용법의 to부정사가 알맞게 쓰였다. '이해하는 능력'이라고 해석한다.
③ 「형용사/부사+enough+to부정사」는 '~할 수 있을 정도로 충분히 …한/…하게'라는 의미이다.

어휘 complete 완전한 discouragement 낙담, 좌절 be dependent on ~에 의존하다

4 Day Words from the Tests

개념 원리 확인 ① p. 71

1 ② 2 ① 3 ② 4 ② 5 ① 6 ③

1 ① *n.* 방어 ② *v.* 방어하다 ③ *n.* 결함
2 ① *v.* 공격하다 ② *v.* 첨부하다 ③ *v.* 얻다
3 ① *v.* (크기·강도 등을) 줄이다 ② *v.* 느슨하게 하다 ③ *v.* 임대하다
4 ① *v.* 짧게 하다 ② *v.* 조이다 ③ *v.* 협박하다
5 ① *a.* 해로운 ② *a.* 해가 없는, 무해한 ③ *a.* 이로운
6 ① *a.* 공식적인 ② *a.* 인공적인 ③ *a.* 이로운

 Grammar from the Tests

개념 원리 확인 ② p. 73

1 sleeping **2** living **3** taken **4** meaning
5 parked **6** Processed

1 **해석** 그녀는 자고 있는 아기를 살며시 침대 위에 눕혔다.
해설 아기가 '자고 있는' 것이므로 능동의 의미를 나타내는 현재분사가 알맞다.

2 **해석** 추운 기후에 사는 많은 작은 포유동물들은 잠을 많이 자는 경향이 있다.
해설 포유동물이 추운 기후에 '사는' 것이므로 능동의 의미를 나타내는 현재분사가 알맞다. 수식어구와 함께 쓰였으므로 분사는 명사 뒤에 써서 현재분사구 living in cold climates가 Many small mammals를 수식한다.

3 **해석** 여권을 신청하기 위해서 당신은 지난 6개월 이내에 촬영한 당신의 사진이 필요하다.
해설 사진은 '찍히는' 것이므로 수동의 의미를 나타내는 과거분사가 알맞다.

4 **해석** '용기'라는 말은 '심장'을 뜻하는 라틴어 'cor'에서 유래한다.
해설 분사가 수식하고 있는 명사 the Latin word 'cor'와의 관계가 능동이므로 현재분사가 알맞다.

5 **해석** 한 무리의 남자들이 길가에 주차된 차를 공격했다.
해설 차는 '주차된' 것이므로 수동의 의미를 나타내는 과거분사가 알맞다.

6 **해석** 가공 식품과 나쁜 식습관은 당신의 건강에 해롭다.
해설 음식은 '가공된' 것이므로 수동의 의미를 나타내는 과거분사가 알맞다.

4 Day 기초 유형 연습 pp. 74~75

Words in Paragraphs
1 ② **2** ③
Grammar for Tests
3 ① **4** ③

1 **해석** 상어에 대한 두려움이 풀장에서 수영하는 많은 사람들로 하여금 바닷물을 시도해보지 못하게 해 왔다. 하지만, 상어에 의해 방어를 당할(→ 공격을 받을) 실질적인 가능성은 아주 낮다. 2007년도에는 상어에 의한 공격보다 벌에 쏘이는 것과 뱀에 물리는 것에 의해 더 많은 사람들이 죽었다.
해설 ② 상어에게 공격을 받을까봐 두려워서 사람들이 바닷물에서 수영을 하지 못한 것이므로 상어에게 '공격을 받을' 가능성이 아주 낮다는 의미가 되도록 동사 attack의 과거분사형 attacked로 고쳐 쓰는 것이 자연스럽다.

2 **해석** 내가 일을 시작했을 때, 나는 각 지도자에 대한 통계를 보여주는 조직의 연간 보고서를 손꼽아 기다렸다. 그것을 메일로 받자마자, 나는 다른 모든 지도자의 발전과 나의 발전을 비교하곤 했다. 그렇게 한 지 5년쯤 지나서, 나는 그것이 얼마나 이로운지(→ 해로운지) 깨달았다. 여러분 자신과 다른 사람을 비교하는 것은 사실 불필요하게 정신을 흩뜨리는 것일 뿐이다. 여러분 자신과 비교해야 하는 유일한 대상은 여러분뿐이다.
구문 풀이
- **As soon as I received them in the mail, I'd compare my progress with the progress of all the other leaders.**: as soon as는 시간을 나타내는 접속사로 '~하자마자'라는 의미이다. I'd는 I would의 줄임말이고 이때 would는 '~하곤 했다'라는 의미로 과거의 습관을 나타낸다. would는 used to로 바꿔 쓸 수 있다. 또한 명사 progress의 반복 사용을 피하기 위해 ~, I'd compare my progress with that of all the other leaders.로 바꿔 쓸 수 있다.
- **The only one (that) you should compare yourself to is you.**: The only one ~ to가 주어부이다. The only one 다음에 목적격 관계대명사 that이 생략되어 있다.

해설 ③ 자신을 남과 비교하는 일이 불필요하게 정신을 흩뜨리는 것이라는 내용이 이어지므로 자신이 5년간 했던 행동이 '해로운(harmful)' 것이었다고 해야 문맥상 자연스럽다.
어휘 look forward to ~을 고대하다 organization 조직 realize 깨닫다 needless 불필요한

3 **해석** 올해 초 발표된 한 조사에서 부모들 열 중 일곱은 절대로 자녀들이 장난감 총을 가지고 놀게 내버려두지 않겠다고 말했다. 그러나 보통의 7학년 학생들은 일주일에 적어도 네 시간을 비디오 게임을 하면서 시간을 보내고, 그 게임들 중 절반 정도는 폭력적인 주제를 가지고 있다. 심리학자들은 매체 폭력과 실제 공격성과의 관련을 증명하는 수천 건 이상의 연구를 지적한다.

끊어 읽기
In a survey / published earlier this year, /
한 조사에서 올해 초 발표된
seven out of ten parents / said /
부모들 열 중 일곱은 말했다
they would never / let their children play /
그들은 절대 ~하지 않을 거라고 / 그들의 자녀들이 놀도록 내버려두다
with toy guns.
장난감 총을 가지고

해설 ① 조사가 '발표된' 것이므로 수동의 의미를 나타내는 과거분사로 고쳐야 한다. (→ published)
② 「spend+시간+-ing」는 '~하는 데 시간을 보내다'라는 의미이다.
③ 주격 관계대명사 that이 선행사 more than a thousand

studies를 수식하는 절을 이끈다. 선행사가 복수이므로 복수 동사가 알맞다.

4 해석 선거는 특정한 직책을 맡을 사람을 뽑기 위해서 열린다. 예를 들어, 7학년 학생들은 학급 반장을 뽑기를 원할 것이다. 그 직책에 관심이 있는 학생들은 급우들에게 이야기할 것이다. 그러면 그 학급은 투표용지에 그들의 선택을 표시함으로써 투표를 할 것이다. 투표용지는 반장 후보자들을 나열하고 있는 종잇 조각이다. 가장 많은 표를 받는 사람이 새로운 반장이 된다.

구문 풀이

- The person [who gets the most votes] becomes the new class president.
  (주어: The person / 주격 관계대명사절: who gets the most votes / 동사(주어 The person이 단수이므로 단수 동사를 쓴다.): becomes)

해설 ① 선거가 '열리는' 것이므로 「be동사+과거분사」 형태의 수동태가 되어야 한다. 따라서 동사 hold의 과거분사형 held가 알맞다.

② interested ~ position이 앞의 Students를 수식하며 '~에 관심이 있는'이라는 수동의 의미를 나타낸다. interested 앞에 「주격 관계대명사+be동사」인 who are가 생략되었다.

③ 앞의 a piece of paper를 수식하며 '나열하고 있는'이라는 능동의 의미를 나타내므로 현재분사로 고쳐야 한다. (→ listing)

어휘 particular 특정한 position 일(자리), 직위 mark 표시하다

5 Day Words from the Tests

개념 원리 확인 ① p. 77

1 ③ 2 ③ 3 ① 4 ② 5 ① 6 ①

1 ① *a.* 평균의 ② *n.* 논평, 언급 ③ *a.* 흔한
2 ① *a.* 친숙한 ② *a.* 즐거운 ③ *a.* 적대적인
3 ① *a.* 호의적인 ② *a.* 호의적이 아닌, 비판적인 ③ *a.* ~에 취약한
4 ① *n.* 비평가, 평론가 ② *a.* 독특한 ③ *a.* 보통의
5 ① *a.* 구체적인 ② *v.* ~에 관한 것이다, *n.* 걱정 ③ *a.* 끊임없는
6 ① *a.* 추상적인 ② *v.* 빼다 ③ *v.* 산만하게 하다

5 Day Grammar from the Tests

개념 원리 확인 ② p. 79

1 Walking 2 Sipping 3 finishing
4 Being written 5 Not knowing 6 Having spent

1 해석 해변을 걸으면서 우리는 많은 독특한 형태의 바위들을 봤다.
해설 동시동작을 나타내는 분사구문으로 분사구문을 As[While] we were walking on the beach와 바꿔 쓸 수 있다.

2 해석 커피를 마시면서 그는 구체적인 계획을 떠올리려고 노력했다.
해설 동시동작을 나타내는 분사구문으로 분사구문을 As[While] he was sipping coffee와 바꿔 쓸 수 있다.

3 해석 강의를 마친 뒤, Jackson 씨는 호의적인 관중들에게 감사를 전했다.
해설 시간을 나타내는 분사구문으로 접속사를 분사 앞에 남겨 둔 문장이다. 분사구문은 After he finished his lecture와 바꿔 쓸 수 있다.

4 해석 급하게 쓰였기 때문에 그 보고서에는 실수가 많았다.
해설 이유를 나타내는 수동태 분사구문으로 이때 Being은 생략할 수 있다. 분사구문을 Because[As/Since] it was written in haste와 바꿔 쓸 수 있다.

5 해석 무엇을 해야 할지 몰라서 나는 경찰에 전화했다.
해설 이유를 나타내는 분사구문으로 분사구문의 부정은 분사 앞에 not 또는 never를 쓴다. 분사구문을 Because[As/Since] I didn't know what to do와 바꿔 쓸 수 있다.

6 해석 어렸을 때 스페인에서 살았었기 때문에 나는 스페인어를 할 수 있다.
해설 부사절의 시제가 주절보다 앞서므로 완료 분사구문인 「having+과거분사」로 나타낸다. 분사구문을 Because[As/Since] I spent my childhood in Spain으로 바꿔 쓸 수 있다.

5 Day 기초 유형 연습 pp. 80~81

Words in Paragraphs
1 unique 2 favorable
Grammar for Tests
3 ② 4 ③

1 해석 한 자동차 제조업체가 판매부진으로 인해 차의 생산을 중단하기로 결정했다. 그 차를 더 이상 구입하지 못할 거라는 발표에 대한 반응으로 판매량이 과거와 비교를 할 수 없을 정도로 급등했다. 왜일까? 그 답은 희소성의 원칙에 있다. 사람들은 어떤 물건이 독특하고, 구입할 수 있는 양이 제한되거나, 한정된 기간에만 구할 수 있다는 것을 알게 될 때 그 물건에 대해 더 큰 욕구를 보인다.

끊어 읽기

The answer / lies in / the scarcity principle: /
그 대답은 ~에 있다 희소성의 원칙
People show / a greater desire / for an object /
사람들은 보인다 더 큰 욕구를 물건에 대해
when they learn / that it is unique, /
그들이 알 때 그것이 독특하다는 것을
available in limited quantities, /
제한된 양으로 구입이 가능한
or obtainable for only a limited time.
또는 한정된 기간에만 구할 수 있는

해설 사람들이 구입할 수 있는 양이 제한되어 있는 물건이나 한정된 기간에만 구할 수 있는 물건에 더 큰 욕구를 보인다는 내용이 이어지므로 그 물건이 '독특한, 유일무이한(unique)' 것이라는 내용이 되어야 문맥상 자연스럽다.

어휘 automobile 자동차 manufacturer 제조자[사], 생산 회사 available 이용할[구입할] 수 있는 desire 욕구, 욕망 quantity 양

2 **해석** 설문 조사에 대한 응답은 사건에 의해 영향을 받는다. 예를 들어, 만약 항공기 추락 사고 직후에 어떤 설문 조사가 이루어진다면 항공사의 평판은 손상될 것이다. 긍정적인 면을 보면, 한 음료 회사에 의해 이루어진 회사의 이미지에 대한 설문 조사는 올림픽에 막대한 투자를 한 직후에 매우 우호적인 대중의 태도를 보여 주었다.

구문 풀이

- **Responses to survey questions are influenced by events.**: 주어 Responses to survey questions가 복수이므로 복수 동사 are를 쓴다. 주어가 '영향을 받는' 것이므로 「be동사+과거분사+by+행위자」의 수동태로 나타낸다.

해설 앞서 소개된 항공사의 사례와 반대되는 경우로 음료 회사의 이야기가 이어지고 있다. 음료 회사가 올림픽에 막대한 투자를 하면 대중들은 그 회사에 대해 '우호적인(favorable)' 태도를 보일 것이다.

어휘 response 응답, 반응 survey (설문) 조사 influence 영향을 끼치다 airline 항공사 damage 손상시키다

3 **해석** 벌들에게는 색깔에 따라 선호하는 식물군이 있다. 한번은 Avenbury 경이 꽃의 색깔이 벌들을 유인하는지 알아보기 위해 실험을 했다. 서로 다른 색조의 종잇조각에 꿀을 발라 놓았을 때, 그것들을 찾아온 그 곤충들은 청색을 두드러지게 더 좋아하는 것처럼 보였으며, 그 다음으로 흰색, 노란색, 빨간색, 녹색, 주황색이 뒤따른다는 것을 그는 발견했다.

구문 풀이

- [Placing honey on slips of paper of different shades],
분사구문(= When he placed ~)
he found [that the insects which visited them
명사절(found의 목적어) 주격 관계대명사절
seemed to have a marked preference for blue, after which came white, yellow, red, green and orange.]
blue를 부연 설명하는 계속적 용법의 관계대명사절이고 주어(white ~ orange)와 동사(came)가 도치된 형태이다.

해설 ① if가 '~인지'라는 의미로 명사절을 이끄는 접속사로 알맞게 쓰였다.
② 시간을 나타내는 분사구문으로 When he placed honey ~에서 접속사를 생략하고 부사절의 주어가 주절의 주어 he와 같으므로 주어를 생략하고 동사를 현재분사로 바꿔 분사구문을 만들어야 한다. (→ Placing)
③ 선행사(the insects)가 동물일 때 주격 관계대명사 which 또는 that을 쓴다.

어휘 according to ~에 따라 shade 색조 insect 곤충 marked 뚜렷한

4 **해석** 플라스틱은 매우 느리게 분해되고 물에 떠다니는 경향이 있다. 이는 플라스틱을 해류를 따라 수천 마일을 돌아다니게 한다. 대부분의 플라스틱은 자외선에 노출될 때 점점 더 작은 조각으로 분해되어 미세 플라스틱을 형성한다.

구문 풀이

- Plastic is extremely slow to degrade and tends to
부사적 용법(형용사 수식)
float, which allows it to travel in ocean currents
관계대명사(계속적 용법) allow+목적어+목적격 보어(to부정사)
for thousands of miles.

해설 ① 동사 allow의 목적격 보어로 to부정사가 바르게 쓰였다.
② 주어(most plastics)와 분사의 관계가 수동이므로 과거분사 exposed가 알맞다. exposed 앞에 they are가 생략되었다.
③ 연속동작을 나타내는 분사구문으로 and (they) form microplastics로 바꿔 쓸 수 있다. (→ forming)

어휘 extremely 매우 tend to ~하는 경향이 있다 form 형성하다

2주 누구나 100점 테스트

pp. 82~83

1 (A) never (B) unique (C) mental
2 (A) loosen (B) defenseless (C) faster
3 ② **4** ③

1 **해석** 실리콘 밸리의 가장 혁신적인 회사들 중 한 회사의 최고경영자는 일주일에 하루, 오전 9시에 시작하는 세 시간짜리 회의를 연다. 그 회의가 걸러지거나 다른 시간으로 일정이 변경되는 일은 결코 없다. 언뜻 보아, 이것에 대한 특별히 독특한 점은 없다. 그러나 정말로 독특한 것은 이 정기적인 회의들로부터 나오는 아이디어의 질이다. 최고 경영자는 회의를 계획하는 것과 관련된 정신적 비용을 없앴기 때문에, 사람들은 창의적인 문제 해결에 초점을 맞출 수 있다.

끊어 읽기

Because / the CEO has eliminated /
~ 때문에 CEO는 제거했다
the mental cost / involved in / planning the meeting, /
정신적 비용을 ~와 관련된 회의를 계획하는 것
people can focus / on creative problem solving.
사람들은 집중할 수 있다 창의적인 문제 해결에

해설 (A) 이어지는 글의 흐름을 파악한다. 걸러지지 않고 주기적으로 열리는 회의가 가지는 장점에 대한 설명글이므로 '결코 ~않다'라는 의미의 never가 알맞다.

(B) 이어지는 문장에서 '독특한 점'에 대해 설명하는 것으로 보아 회사에서 정기적인 회의가 걸러지지 않고 열리는 것은 '독특한(unique)' 점은 아닐 것이다.

(C) '정신적인(mental)' 비용을 없앴기 때문에 사람들이 창의적인 문제 해결에 초점을 맞출 수 있다는 내용이 자연스럽다.

어휘 innovative 혁신적인 miss 거르다 reschedule 일정을 변경하다 at first glance 언뜻 보기에는[처음에는] unique 독특한 quality 질 regular 정기적인 eliminate 제거하다 mental 정신적인 physical 신체적인 involved in ~에 관련된 focus on ~에 집중하다 creative 창의적인

2 **해석** 농부들은 늘어나는 인구를 위해 더 많은 식량을 생산하기 위하여 점점 더 많은 농경지를 경작한다. 그들은 토양을 뒤엎고 느슨하게 만들어서 그것을 농사짓기에 가장 좋은 조건으로 만든다. 하지만 이러한 과정은 토양의 미세 입자들을 붙잡아 두는 중요한 역할을 하는 땅 표면의 식물들을 제거하고, 토양을 바람과 물에 의한 침식에 대해 무방비 상태로 만든다. 때때로, 바람은 갈아엎어놓은 경작지에서 흙을 날려 버린다. 많은 곳에서, 자연적인 풍화 작용의 과정이 대체할 수 있는 것보다 훨씬 더 빠른 속도로 토양의 침식이 일어난다.

구문 풀이

- However, this process removes the important plant cover that holds soil particles in place, making soil defenseless to wind and water erosion.
  - this process: 주어 / removes: 동사
  - that holds soil particles in place: 주격 관계대명사절(plant cover 수식)
  - making: 분사구문(연속상황)
  - making soil defenseless: 사역동사(make)+목적어+목적격 보어(형용사)

해설 (A) 농부가 농사 짓기에 좋은 땅을 만들기 위해 토양을 뒤엎는다고 했다. 그들이 이렇게 하는 이유는 토양을 '느슨하게 하기(loosen)' 위함이다.

(B) 땅 표면의 식물들이 제거되면 토양은 바람과 물에 의한 침식에 '방어할 수 없는', 즉 '무방비의(defenseless)' 상태가 될 것이다.

(C) 농부들이 토양을 뒤엎어 놓으면 바람과 물에 의한 침식에 무방비 상태가 된다고 했다. 따라서 자연적인 풍화 작용의 과정보다 '더 빠른(faster)' 속도로 침식이 일어난다고 해야 문맥상 자연스럽다.

어휘 plow 경작하다 population 인구 loosen 느슨하게 하다 tighten 팽팽하게 하다 condition 조건 process 과정 remove 제거하다 defendable 방어할 수 있는 defenseless 무방비의 erosion 침식 replace 대체하다

3 **해석** 대부분의 성인들은 자신들의 정확한 발 크기를 알고 있다고 생각하고, 새 신발을 살 때 자신의 발 크기를 재지 않는다. 20세가 되면 발은 더 이상 길어지지 않지만, 대부분의 발은 나이가 들면서 넓어진다. 게다가 당신의 발은 커졌다가 다음날 아침에 "정상"으로 돌아오는 등 사실상 하루 중 시간에 따라 크기가 다를 수도 있다. 그러므로 당신이 다음번 신발을 구입할 때는 당신의 발의 크기가 달라질 수 있다는 점을 기억하라.

구문 풀이

- Most adults think they know their exact foot size, so they don't measure their feet when buying new shoes.
  - think ∧ they: 접속사 that
  - when buying: 「접속사+-ing」: 분사구문(명확한 의미 전달을 위해 접속사를 남긴다.)

해설 ① 시간을 나타내는 분사구문으로 의미를 명확하게 나타내기 위해 접속사 when을 남겨 두었다.

② 「stop+to부정사」는 '~하기 위해 멈추다'라는 뜻이다. '~하는 것을 멈추다'라는 뜻이 되도록 「stop+동명사」로 고쳐야 한다. (→ growing)

③ 동사 widen은 '넓어지다'라는 뜻이다. 주어 feet이 복수이므로 복수 동사가 알맞게 쓰였다.

④ '~하면서'라는 의미를 나타내는 분사구문이다.

⑤ 동사 remember의 목적어 역할을 하는 명사절을 이끄는 접속사 that이 알맞게 쓰였다.

어휘 adult 성인 exact 정확한 measure 측정하다 length 길이 gradually 서서히 widen 넓어지다 besides 게다가 normal 정상; 정상의

4 **해석** 어린 물고기는 몸집이 큰 동물들보다 훨씬 더 적은 수의 알을 낳으며, 현재 많은 기업적 어업이 너무나도 집중적이어서 성숙기 연령을 지나서 2년 넘게 살아남는 동물들이 거의 없다. 동시에 이것은 미래 세대를 보장하는 알이나 유충이 더 적어진다는 것을 의미한다. 어떤 경우에는 오늘날 태어나는 새끼들의 양이 과거보다 백 배 혹은 심지어 천 배까지도 더 적어서, 종의 생존, 그리고 그것들에 의존하는 어업이 심각한 위기에 처하게 된다.

구문 풀이

- In some cases the amount of young produced today is a hundred or even a thousand times less than in the past, [putting the survival of species, and the fisheries dependent on them, at grave risk].
  - the amount of young: 주어
  - produced today: 과거분사구(명사를 뒤에서 수식)
  - is: 단수 동사
  - a thousand times less than: 「배수사+less than」: ~보다 …배 더 적은
  - putting ~: 분사구문(= and it puts ~)
  - dependent on them: the fisheries 수식

해설 ① 「so ~ that ...」 구문으로 '너무 ~해서 …하다'라는 의미이다.

② to부정사가 앞에 쓰인 eggs and larvae를 수식하는 형용사적 용법으로 쓰였다.

③ 앞에 쓰인 명사 young을 수식하는 말로 새끼들이 '태어난' 것이므로 수동의 의미를 나타내는 과거분사로 고쳐야 한다. (→

produced)

④ less는 than과 함께 쓰여 '~보다 더 적은'이라는 의미를 나타낸다.

⑤ 연속상황을 나타내는 분사구문으로 and it puts ~로 바꿔 쓸 수 있다.

어휘 produce (새끼를) 낳다 industrial fishery 기업적 어업 intensive 집중적인 survive 살아남다 maturity 성숙한 [다 자란] 상태 secure 보장하다 generation 세대 put ~ at risk ~을 위험에 처하게 하다 survival 생존 species 종 dependent on ~에 의존하는 grave 심각한

창의 • 융합 • 사고력 pp. 84~89

A 1 가난, 빈곤 2 정신적인 3 독특한 4 금지하다
B 1 attacking 2 rarely 3 Physical 4 squeezed

A 해석 남 봐! 나는 이 그림이 좋아.
여 아, 그건 Van Gogh의 그림이야.
여 그는 평생 결코 화가로서 유명하지 않았고, 끊임없이 가난과 정신 질환과 싸웠어.
여 그는 표현력이 있는 선과 색의 사용으로 유명했지.
남 나는 그의 독특한 스타일이 좋아.
여 이봐, 여기에서 사진 찍는 것은 금지되어 있어.
남 아, 미안해.

B 해석 남 너 기침 많이 하는구나.
여 응, 나는 열도 있어.
여 감기 바이러스가 내 면역 시스템을 공격하고 있어.
남 이봐, 뭐 하는 거야?
여 나는 거의 운동을 하지 않지 …, 하지만! 신체 운동이 내가 감기 바이러스와 맞서 싸우는 걸 도울 거야.
남 감기에 걸렸을 때 운동은 회복을 늦출 수 있어. 신선하게 짠 오렌지 주스 한 잔 마시고 잠을 좀 자는 게 어때?

C

1 admit / (squeeze) / (release)
2 (poverty) / (wealth) / weakness
3 (combine) / forbid / (separate)
4 (attack) / (defend) / allow

D 1 physical 2 tighten 3 concrete 4 harmful 5 rarely 6 admit
E 1 common 2 abundant 3 forbid 4 unique 5 insufficient 6 favorable
F 1 unique 2 forbid 3 favorable 4 common
G 1 telling 2 Driving 3 reading 4 to respect 5 living 6 to visit 7 to learn
H 1 dancing 2 excited 3 Broken 4 frightening
I 1 Having nothing to do
2 Arriving at the hotel
3 Having lunch together

F 1 해석 모든 사람의 지문은 유일무이하다.

2 해석 네가 가기를 원한다면, 나는 당신을 막을 수 없다.

3 해석 이 식당은 여행 가이드 책에서 호의적인 평을 받았다.

4 해석 십 대들 사이에서 과도한 휴대 전화 사용은 매우 흔하다.

G 1 해석 Jenny는 그에게 그녀의 계획을 말하는 것을 피했다.
해설 동사 avoid 뒤에는 목적어로 동명사가 온다.

2 해석 붐비는 도로에서 매우 빠르게 운전하는 것은 사고로 이어질 수 있다.
해설 문장의 주어 자리에는 명사 또는 동명사가 올 수 있으므로 동명사 Driving이 알맞다.

3 해석 나는 더 많은 영어로 된 단편 소설을 읽을 것을 추천한다.
해설 동사 recommend 뒤에는 동명사가 온다.

4 해석 그는 내 의견을 존중하겠다고 약속했다.
해설 동사 promise는 목적어로 to부정사가 온다.

5 해석 Lynn은 작은 섬에 사는 것을 꿈꾼다.
해설 전치사 뒤에는 명사 또는 동명사가 온다.

6 해석 나의 평생 꿈은 그랜드 캐년을 방문하는 것이다.
해설 문장의 보어 자리이다. '방문하는 것'이라는 의미가 되도록 to visit가 되어야 알맞다.

7 해석 여행은 문화에 대해 배우는 가장 좋은 방법 중 하나이다.
해설 앞의 ways를 수식하는 형용사적 용법의 to부정사가 필요하다.

H 1 해석 무대 위에서 춤추는 저 소녀가 보이니?
해설 '춤을 추고 있는 소녀'라는 뜻이 되도록 앞의 명사 girl을 수식하는 현재분사 dancing이 알맞다.

2 해석 흥분한 관중들이 여배우가 도착하기를 기다렸다.
해설 '흥분한 관중들'이라는 의미가 되도록 뒤의 명사 crowd를 수식하는 과거분사 excited가 알맞다.

3 해석 깨진 접시들이 온 바닥에 놓여 있었다.
해설 '깨진 접시'라는 의미가 되도록 뒤의 명사 dishes를 수식하는 과거분사 broken이 알맞다.

4 해석 너의 가장 무서운 경험은 무엇이었니?
해설 '무서운 경험'이라는 뜻이 되도록 뒤의 명사 experience를 수식하는 현재분사 frightening이 알맞다.

I **1** 해석 그녀는 할 일이 없었기 때문에 집에 일찍 갔다.
해설 접속사 Because와 주어 she를 삭제하고 동사 had를 현재분사로 바꿔 이유를 나타내는 분사구문 Having nothing to do를 완성한다.

2 해석 호텔에 도착하자마자 그는 옷을 갈아입었다.
해설 접속사 As soon as와 주어 he를 삭제하고 동사 arrived를 현재분사로 바꿔 시간을 나타내는 분사구문 Arriving at the hotel을 완성한다.

3 해석 점심을 함께 먹는 동안 우리는 이번 주말에 무엇을 할지에 대해 이야기했다.
해설 접속사 While과 주어 we를 삭제하고 동사 had를 현재분사로 바꿔 동시동작을 나타내는 분사구문 Having lunch together를 완성한다.

3주 혼동어/연결어

이번 주에는 무엇을 공부할까? ❶

pp. 90 ~ 91

1 ❶ 보완하다 ❷ 칭찬하다; 칭찬
2 ❶ 멸종한 ❷ 추출하다
3 ❶ 달성하다 ❷ 여전히 ~이다
4 ❶ 관찰하다 ❷ 보존하다

이번 주에는 무엇을 공부할까? ❷

pp. 92 ~ 93

간단 체크 1

(1) N (2) A (3) N (4) A

(1) 해석 나는 그 노란 집에 사는 소년을 안다.
해설 who가 뒤의 절에서 주어 역할을 하므로 관계대명사이다.

(2) 해석 나는 그 소년이 사는 노란 집을 가리켰다.
해설 뒤의 절이 완전하므로 관계부사이다.

(3) 해석 너는 내가 추천하는 그 카메라를 살 거니?
해설 that이 뒤의 절에서 목적어 역할을 하므로 관계대명사이다.

(4) 해석 네가 이 카메라를 추천하는 이유가 뭐니?
해설 뒤의 절이 완전하므로 관계부사이다.

간단 체크 2

(1) that (2) talked (3) Although (4) hiking

(1) 해석 너는 Gilligan 씨가 복권에 당첨됐다는 것을 아니?
해설 명사절을 이끄는 접속사는 that이다.

(2) 해석 Julie는 그녀의 삼촌을 방문해서 그와 이야기를 나누었다.
해설 앞의 동사 visited와 and로 이어지는 병렬 구조이므로 과거형이 알맞다.

(3) 해석 나는 답을 알고 있지만, 너에게 말하지 않을 거야.
해설 의미상 두 절이 상반되므로 '그럼에도 불구하고'라는 의미의 접속사 Although가 알맞다.

(4) 해석 나는 여름에 수영뿐 아니라 하이킹을 즐긴다.
해설 동명사 swimming과 「not only *A* but also *B*」의 상관 접속사로 연결되므로 동명사 hiking이 알맞다.

1 Day Words from the Tests

개념 원리 확인 ① p. 95

1 ② 2 ① 3 ① 4 ③ 5 ③ 6 ②

1 ① v. 숙고했다 ② v. 거절했다 ③ v. 끌어들였다
2 ① v. 칭찬하다 ② v. 보충[보완]하다 ③ v. 완성하다
3 ① n. 매력 ② n. 기분 전환 ③ a. 매력적인
4 ① v. 집중을 방해하다 ② n. 매력
③ n. 집중을 방해하는 것, 방해 요소
5 ① v. 불평하다 ② v. 칭찬하다 ③ v. 보충[보완]하다
6 ① n. 반영, 숙고 ② v. 비추었다 ③ v. 거절했다

1 Day Grammar from the Tests

개념 원리 확인 ② p. 97

1 who 2 What 3 which 4 which 5 whose
6 whom

1 해석 우리는 우리의 제안을 거절한 의뢰인을 만날 필요가 있다.
해설 선행사 the client가 사람이므로 who가 알맞다.

2 해석 여러분이 이 마을에서 보아야 하는 것은 그냥 명소가 아니다.
해설 선행사가 없으므로 선행사를 포함하는 관계대명사 what이 알맞다.

3 해석 당신의 일에 집중하지 못하게 하는 방해 요소를 제거해라.
해설 선행사가 사람이 아니므로 which가 알맞다.

4 해석 누가 붉은 꽃이 심어진 화분을 가져갔지?
해설 선행사가 사물인 the pot이고 앞에 전치사가 있으므로 which를 쓴다. 관계대명사 앞에 전치사가 오면 that은 쓰지 않는다.

5 해석 그의 엄마는 그 칭찬이 그에게 의미 있는 유일한 사람이다. [그의 엄마가 하는 칭찬만이 그에게 의미가 있다.]
해설 뒤에 관사 없이 명사가 나오는 것으로 보아 소유격 관계대명사가 알맞다.

6 해석 우리는 목격자가 버스에서 본 그 사람을 찾아야 한다.
해설 관계사절에 목적어가 필요하고 선행사가 사람이므로 whom이 알맞다.

1 Day 기초 유형 연습 pp. 98~99

Words in Paragraphs
1 distractions 2 reflected
Grammar for Tests
3 ③ 4 ①

1 해석 500쌍의 결혼 생활에 대한 연구에서 한 연구자는 성공적인 결혼은 대화의 기술과 가장 밀접하게 연관되어 있다는 것을 알아냈다. 무엇보다, TV, 인터넷, 이메일과 같은 방해 요소들을 제거해라. 당신과 당신의 배우자가 필요로 하는 것은 양질의 대화 시간이다. 저녁 산책에서 좋은 대화를 나눌 수 있다. 조용한 드라이브도 훌륭한 역할을 할 수 있다.

끊어 읽기
In a study / of 500 marriages, / one researcher /
한 연구에서 500쌍의 결혼 생활에 대한 한 연구자는
determined / that / successful marriage / is /
발견했다 ~라고 성공적인 결혼은 ~이다
most closely linked / to communication skills.
가장 밀접하게 연관된 대화의 기술에

해설 결혼 생활에는 대화가 중요하므로 TV, 인터넷, 이메일 등을 없애고 조용한 시간에 대화를 하라고 조언하고 있다. 따라서 TV, 인터넷, 이메일 등을 '방해 요소들(distractions)'로 언급하는 것이 적절하다.
어휘 successful 성공적인 above all 무엇보다도 get rid of ~을 제거하다 work wonders 기적 같은 효과를 낳다

2 해석 주로 자연의 사물을 그대로 베껴 그리는 것에 (활동이) 국한되어 있던 전통적인 훈련을 받은 화가들은 19세기 말에 인상주의 예술을 즐기기 시작했다. 많은 프랑스 화가들은 자연 사물의 특징이 되는 이미지에 영감을 얻어 엄청난 양의 인상주의 예술 작품을 창조했다. 이러한 작품들은 사랑, 자연과 같은 당대의 주요 화제를 반영했고, 그 새로운 그림 기법은 그러한 화제를 강화하고 명백히 했다.
구문 풀이
• 과거분사구인 inspired by ~ natural objects가 many French painters를 수식한다.

끊어 읽기
The traditionally trained painters, / who were
전통적인 훈련을 받은 화가들은 대부분 국한되었던
confined mostly / to exact copy of natural objects, /
자연의 사물을 그대로 베끼는 것에
started to enjoy / impressionist art, /
즐기기 시작했다 인상주의 예술을
at the end of the nineteenth century.
19세기 말에

해설 인상주의 예술이 당대의 주요 화제를 강화하고 명백히 했다는 내용이 이어지므로 그것을 '반영했다(reflected)'는 의미가 되어야 한다.
어휘 exact 정확한 copy 복사, 복제 object 사물, 물체

quantity 양 major 주요한 theme 주제 technique 기법

3 해석 당신이 가장 좋아하는 만화를 신문에서 오려 내어, 그것을 당신이 가장 필요로 하는 곳 어디든지 붙여라. 그것을 볼 때마다 당신은 미소 짓게 될 것이다. 모두가 기분 좋게 웃을 수 있도록 가장 좋아하는 만화를 친구와 가족과 공유해라. 기분 좋은 웃음을 일이 꼭 필요한 아픈 친구를 방문하러 갈 때 만화책을 가져가라.
해설 ① 대명사 it이 가리키는 것은 앞의 your favorite cartoon이므로 단수 it이 알맞다.
② 「so that ~ can ...」은 '~가 …할 수 있도록, ~가 …하기 위해'라는 의미로 목적을 나타낸다.
③ 관계대명사 whom 뒤에 동사가 나오는 것으로 보아 선행사 sick friends가 관계사절에서 주어 역할을 해야 하므로 목적격 whom이 아닌 주격 관계대명사가 필요하다. (→ who 또는 that)
어휘 cut out 오리다, 자르다 cartoon 만화

4 해석 당신이 아이에게 성취에 대해 늘 보상을 한다면, 아이는 그것을 얻기 위해 자신이 한 일보다는 보상을 얻는 것에 더 집중할 것이다. 아이가 얻는 기쁨의 초점이 배움 그 자체를 즐기는 것에서 당신을 기쁘게 하는 것으로 옮겨가는 것이다. 아이는 결국 배움에는 관심이 덜한, 칭찬을 사랑하는 사람이 될지도 모른다.
구문 풀이
- **she will focus more on getting the reward than on what she did to earn it**: 전치사 on 뒤에는 명사 역할을 하는 어구가 와야 하므로 동명사구 getting the reward와 선행사가 포함된 관계대명사 what이 왔다.

해설 ① 관계대명사 앞에 선행사가 필요하며, 관계사절의 동사 did의 목적어도 필요하다. 따라서 선행사를 포함하는 관계대명사 what으로 고치는 것이 알맞다. (→ what)
② 「from *A* to *B*」 구조이다. 전치사 to의 목적어가 되어야 하므로 동명사의 쓰임은 적절하다.
③ 선행사 a praise lover가 사람이고, 뒤의 관계사절에 주어가 필요하므로 주격 관계대명사 who의 쓰임이 적절하다.
어휘 excitement 흥분, 신남 please 기쁘게 하다

2 Day Words from the Tests

개념 원리 확인 ① p. 101

1 ① 2 ③ 3 ① 4 ② 5 ② 6 ③

1 ① *v.* 약화시키다 ② *v.* ~의 기초가 되다 ③ *v.* 이해하다
2 ① *v.* 남다 ② *v.* 붙이다, 첨부하다 ③ *v.* 얻다
3 ① *v.* ~의 기초가 되다 ② *v.* 약화시키다 ③ *ad.* 아래에
4 ① *v.* 예측했다 ② *v.* 묘사했다 ③ *v.* 의지했다
5 ① *v.* 얻다 ② *v.* 여전히 ~이다 ③ *v.* 유지하다
6 ① *v.* 준비하다 ② *v.* 예방하다 ③ *v.* 예측하다

2 Day Grammar from the Tests

개념 원리 확인 ② p. 103

1 which 2 when 3 how 4 when 5 why
6 when

1 해석 우리는 유명한 건축가가 설계한 박물관을 방문했다.
해설 뒤에 목적어가 없는 불완전한 절이 왔으므로 목적격 관계대명사 which를 쓰는 것이 알맞다.

2 해석 그의 수필은 그 도시에서 대형 행진이 있었던 날을 묘사한다.
해설 뒤에 완전한 형태의 절이 왔고 선행사가 시간을 나타내므로 관계부사 when이 알맞다.

3 해석 그 다큐멘터리는 어떻게 그 오래된 성이 완벽하게 남아 있는지에 관한 것이다.
해설 뒤에 완전한 형태의 절이 왔으므로 관계부사를 쓰는 것이 알맞다. the way와 how는 같이 쓸 수 없고 선행사 the way와 how 중의 하나만 쓴다.

4 해석 의사는 아기가 태어날 시간을 예측했다.
해설 뒤에 완전한 형태의 절이 왔고 선행사가 시간을 나타내므로 관계부사 when이 알맞다.

5 해석 나는 그녀가 내 자신감을 약화시키려 하는 이유를 모르겠다.
해설 선행사 the reason이 있으므로 이유를 나타내는 관계부사 why가 알맞다.

6 해석 핼로윈은 미국에서 가장 많은 양의 사탕이 소비되는 날이다.
해설 선행사 the day가 있으므로 시간을 나타내는 관계부사 when이 알맞다.

2 Day 기초 유형 연습 pp. 104~105

Words in Paragraphs
1 underlies 2 predict
Grammar for Tests
3 ① 4 ③

1 해석 귀는 거짓말을 하지 않는다. 우리는 귀를 통해 진동에 접근하는데, 이것은 우리 주변의 모든 것의 기저에 있다. 다른 사람의 목소리에서 어조와 음악적 음향을 감지하는 것은 우리에게 그 사람에 대한 엄청난 양의 정보를 준다.
해설 진동과 관련된 목소리의 어조와 음악적 음향이 많은 정보

를 줄 수 있는 것은 진동이 우리 주변 모든 것의 '기저에 있기' 때문이라고 하는 것이 적절하다. 따라서 underlies가 알맞다.

2 해석 Richard는 1930년대에 몇몇 중국인들과 미국을 여행했다. 그 당시에, 많은 미국인들은 중국인에 대해서 부정적인 견해를 갖고 있었다. Richard가 편지를 보냈던 대부분의 호텔과 레스토랑들은 중국인 손님들을 받지 않겠다고 했다. 그러나 (편지를 보냈던) 같은 호텔과 식당을 방문했을 때, 중국인들은 공손한 대우를 받았다. 놀랍게도, 강하게 비우호적이었던 태도는 실제 행동을 예측해내지 못했다.

구문 풀이

- **Most of the hotels and restaurants that Richard had written to**: 목적격 관계대명사절인 that ~ to가 the hotels and restaurants를 수식한다.

해설 중국인에 대한 미국인의 태도가 비우호적이었음에도 불구하고 실제로는 공손한 대우를 받은 사례를 제시하고 있으므로 태도가 실제 행동을 '예측해내지(predict)' 못했다고 해야 문맥상 자연스럽다.

3 해석 말로 하지 않는 의사소통은 말하기가 불가능하거나 부적절한 상황에서 유용할 수 있다. 여러분이 어떤 사람에게 말하는 동안 불편한 입장에 처해 있다고 생각해 보라. 말로 하지 않는 의사소통은 여러분이 다시 편해지도록 대화에서 잠시 멀어질 시간을 얻도록 도울 수 있다.

구문 풀이

- **Imagine (that) you are in an uncomfortable position while (you are) talking to someone.**: 명령문 형식으로 you are in ~ someone이 Imagine의 목적어인 명사절이다. while과 talking 사이에 you are가 생략된 형태이다.

해설 ① which 뒤의 절이 완전한 형태이므로 관계대명사가 아닌 관계부사를 써야 한다. 상황을 나타내는 선행사 situations와 어울리는 관계부사는 where이다. (→ where)
② 분사구문 앞에서 의미를 명확히 하는 접속사로 쓰였다.
③ 「help+목적어+목적격 보어(동사원형/to부정사)」 구조로 '~이 …하도록 돕다'라는 의미이다.

4 해석 1992년 1월 10일, 거친 바다를 통과하던 배 한 척이 화물 컨테이너 12개를 분실했고, 그 중 하나는 물에 뜨는 목욕용 장난감 28,800개를 실은 것이었다. 7개월 후, 첫 번째 장난감들이 분실된 곳에서 3,540km 떨어진 알래스카의 Sitka 근처 해변에 도달했다.

끊어 읽기

On January 10, 1992, / a ship /
1992년 1월 10일에 / 배 한 척이
traveling through rough seas / lost /
거친 바다를 통과하여 여행하는 / 잃어버렸다
12 cargo containers, / one of which / held /
12개의 화물 컨테이너를 / 그것들 중의 하나는 / 싣고 있었다
28,800 floating bath toys.
28,800개의 물에 뜨는 목욕용 장난감을

해설 ① 앞의 명사를 꾸미는 현재분사이다. a ship이 '항해를 하는' 것이므로 능동, 진행의 의미를 갖는 현재분사가 바르게 쓰였다.
② which의 선행사는 12 cargo containers로 사물이며, 뒤의 관계사절에는 주어가 필요하므로 주격 관계대명사 which의 쓰임은 적절하다.
③ 선행사 the place에 어울리는 관계부사는 장소를 나타내는 where이다. (→ where)

3 Day Words from the Tests

개념 원리 확인 ① p. 107

1 ② 2 ① 3 ① 4 ② 5 ① 6 ①

1 ① *v.* 깨닫다 ② *v.* 합리화하다 ③ *n.* 합리성
2 ① *n.* 영역 ② *n.* 변화 ③ *v.* 위험에 빠뜨리다
3 ① *v.* 바꾸다 ② *v.* 정렬시키다 ③ *v.* 깨닫다
4 ① *v.* 추출하다, *n.* 추출물 ② *a.* 멸종한 ③ *n.* 멸종
5 ① *v.* 추출했다 ② *a.* 멸종한 ③ *v.* 뺐다
6 ① *v.* 깨닫다 ② *n.* 깨달음, 인식 ③ *v.* 합리화하다

3 Day Grammar from the Tests

개념 원리 확인 ② p. 109

1 What 2 whether 3 that 4 that 5 that 6 that

1 해석 내가 스스로에 대해 깨달은 것은 내가 공부에 전혀 관심이 없다는 것이었다.
해설 뒤에 불완전한 구조의 절이 나오므로 관계대명사 what이 오는 것이 알맞다.

2 해석 우리가 우리 상품의 범위를 확장할 수 있는지 확인해라.
해설 뒤에 완전한 형태의 절이 나오고, 동사 check로 보아 '~인지 아닌지'라는 의미의 접속사 whether를 쓰는 것이 알맞다.

3 해석 공룡이 6천 5백만 년 전에 멸종했다는 사실은 이제 잘 알려져 있다.
해설 앞에 명사 fact가 오고 뒤에 완전한 형태의 절이 나오므로 「명사 = 명사절」 관계가 성립하도록 접속사 that을 쓰는 것이 알맞다.

4 해석 그 가수의 대리인은 그가 레퍼토리를 바꿔야만 했다고 합리화했다.
해설 의미상 '~인지 아닌지'라는 의미의 if가 아닌 명사절을 이끄는 that이 알맞다.

5 해석 내 휴대용 컴퓨터는 너무 오래돼서 문서에서 글을 추출하는 데 긴 시간이 걸린다.
해설 '매우 ~해서 …하다'라는 의미가 되도록 「so ~ that」 구조를 만드는 것이 알맞다.

6 해석 아버지는 아들에게 1886년경에 Karl Benz가 자동차를 발명했다고 말했다.
해설 뒤에 완전한 형태의 절이 나오므로 접속사 that을 쓰는 것이 알맞다.

3 Day 기초 유형 연습 pp. 110~111

Words in Paragraphs
1 rationalize 2 extract
Grammar for Tests
3 ② 4 ③

1 해석 어떤 코치들은 정신 기술 훈련(MST)이 오직 고도로 숙련된 선수들의 수행을 완벽하게 하는 것만을 돕는다고 믿는다. 그 결과, 그들은 정신 기술 훈련을 피한다. 그 코치들은 자신이 엘리트 선수들을 지도하는 것이 아니기 때문에 정신 기술 훈련은 덜 중요하다고 합리화한다.

끊어 읽기
Some coaches / believe / that /
어떤 코치들은 믿는다 ~라고
mental skill training (MST) / can only help /
정신 기술 훈련(MST)이 도울 뿐이다
perfect / the performance /
완벽하게 하기를 / 수행을
of highly skilled competitors.
고도로 숙련된 선수들의

해설 목적어가 되는 that절의 내용에 유의한다. 정신 기술 훈련을 피하는 코치들의 입장에서 정신 기술 훈련이 덜 중요하다는 것은 실제로 '깨달은' 것이 아니라 '합리화한' 결과이므로 rationalize가 알맞다.
어휘 as a result 그 결과 elite 선발된, 정예의

2 해석 해양 생물학에 대한 우리의 지식 중 상당 부분은 '무작위' 견본 추출에서 온다. 우리는 바닷속에 살고 있는 생물에 대한 지식을 얻기 위해 병이나 그물로 채집한 견본을 사용한다. 이러한 종류의 접근은 우리가 해양 생물을 보는 방식에 영향을 끼쳐왔다.

구문 풀이
- We use bottle or net samples to extract knowledge about the organisms living in the ocean.
  (to extract: 부사적 용법(목적); living in the ocean: 명사를 수식하는 현재분사구)

해설 견본 추출을 통해 해양 생물에 대한 지식을 '얻는' 일에 대해 설명하고 있으므로 extract가 알맞다. extinct는 '멸종한, 사라진'이라는 의미의 형용사로 이 자리에 쓸 수 없다.

3 해석 돈은 여러분이 남은 평생 다루어야 할 무언가라는 것을 여러분의 부모님에게 설명해라. 인생에서 나중보다는 이른 시기에 실수를 저지르는 것이 더 낫다. 여러분이 자신의 돈을 관리하는 법을 알 필요가 있다는 것을 설명해라. 모든 것을 다 학교에서 가르쳐 주는 것은 아니다!
구문 풀이
- **It is better that you make your mistakes early on rather than later in life.**: 「가주어 It – 진주어」 구문으로 that절이 진주어이다. rather than은 '~보다는 (차라리)'의 의미이다.

해설 ① 뒤에 완전한 절이 나오므로 접속사 that의 쓰임이 적절하다.
② 뒤에 나오는 절의 문장 구조가 완전하므로 관계대명사가 아닌 명사절을 이끄는 접속사 that을 쓰는 것이 적절하다. (→ that)
③ 「의문사+to부정사」의 명사구이다. how 뒤에 to부정사가 오면 '~하는 방법'이라는 의미이다.

4 해석 광고는 사람들이 스스로 최적의 상품을 찾을 수 있게 해준다. 그들이 전체 범위의 상품들을 인식하게 되면, 힘들게 번 돈으로 그들이 원하는 것을 얻을 수 있도록 상품을 비교하고 구매할 수 있게 된다.

끊어 읽기
When / they are made aware / of a whole range
~할 때 그들이 인식하게 되다 전체 범위의 상품을
of goods, / they are able / to compare them /
그들은 ~할 수 있다 그것들을 비교하는 것을
and make purchases / so that they get /
그리고 구입하는 것을 그들이 얻을 수 있도록
what they desire / with their hard-earned money.
그들이 바라는 것을 그들의 힘들게 번 돈으로

해설 ① 동사 help가 쓰이면 목적격 보어로 동사원형 또는 to부정사를 쓸 수 있다.
② 주어 they가 광고에 의해 인식하도록 만들어지는 것이므로 수동태를 만드는 과거분사가 적절하다.
③ 뒤에 나오는 절에 목적어가 없고, 앞에 선행사도 없으므로 관계사절에서 목적어 역할을 하며 선행사를 포함하는 관계대명사 what으로 고쳐야 한다. (→ what)
어휘 for oneself 스스로, 혼자 힘으로 whole 전체의 be able to ~할 수 있다 compare 비교하다 make a purchase 구매하다

4 Day Words from the Tests

개념 원리 확인 ① p. 113

1 ② **2** ③ **3** ① **4** ① **5** ① **6** ①

1 ① *v.* 적응하다 ② *v.* 채택[적용]하다 ③ *n.* 적응; 각색
2 ① *v.* 존경하다 ② *a.* 각자의 ③ *a.* 존중하는
3 ① *v.* 회피하다 ② *v.* ~을 불러일으키다 ③ *v.* 진화하다
4 ① *v.* ~을 불러일으키다 ③ *v.* 피하다 ③ *v.* 충고하다
5 ① *a.* 각각의 ② *a.* 존중하는 ③ *a.* 책임이 있는
6 ① *v.* 적응하다 ② *n.* 적응; 각색 ③ *a.* 적응할 수 있는

Grammar from the Tests

개념 원리 확인 ② p. 115

1 while **2** Although **3** because of **4** because
5 In spite of **6** during

1 **해석** 연구원은 학생들이 운동을 하는 동안 그들을 관찰했다.
해설 뒤에 절이 나오므로 접속사 while이 알맞다.

2 **해석** 그녀의 남편은 동물을 좋아하지 않았지만 그녀는 개를 입양하기로 결정했다.
해설 뒤에 절이 나오므로 접속사 although가 알맞다.

3 **해석** 커피콩의 가격은 증가하는 수요 때문에 올라가고 있었다.
해설 뒤에 명사구가 나오므로 전치사 of가 있는 because of를 써야 한다.

4 **해석** 나는 새 전자레인지를 놓을 공간이 없어서 낡은 토스터를 버렸다.
해설 뒤에 절이 나오므로 접속사 because가 알맞다.

5 **해석** 그녀의 무례함에도 불구하고 나는 그녀를 존중하려고 애썼다.
해설 뒤에 명사구가 나오므로 전치사 of가 있는 in spite of가 알맞다.

6 **해석** 우리가 파리에서 며칠 머무는 동안 많은 기억들이 떠올랐다.
해설 뒤에 명사구가 나오므로 전치사 during이 알맞다.

4 Day 기초 유형 연습 pp. 116~117

Words in Paragraphs
1 ③ **2** ②
Grammar for Tests
3 ③ **4** ②

1 **해석** 파티에서 한 이집트인 간부가 그의 캐나다인 손님에게 새로운 벤처 사업에서 합작 제휴를 제안했다. 캐나다인은 그 제안에 기뻐했다. 그는 세부 사항을 마무리하기 위해 존중하는(→ 각자의) 변호사를 대동하고 다음 날 아침에 다시 만나자고 제안했다.
구문 풀이
- **offered his Canadian guest joint partnership**: 4형식 구조의 문장으로 his Canadian guest가 간접목적어이고 joint partnership이 직접목적어이다.

끊어 읽기
He suggested / that they meet again /
그는 제안했다 그들이 다시 만나는 것을
the next morning / with their respective lawyers /
다음 날 아침에 그들 각자의 변호사와 함께
to finalize the details.
세부 사항을 마무리하기 위해

해설 ③ 세부 사항을 마무리하기 위해 '각자의(respective)' 변호사를 데리고 만나자고 제안했다고 하는 것이 문맥상 자연스럽다. '존중하는'이라는 의미의 respectful은 어울리지 않는다.
어휘 offer 제안하다; 제안 lawyer 변호사 detail 세부 사항

2 **해석** 두꺼운 씨앗 껍질은 흔히 씨앗이 자연환경에서 생존하는 데 필수적이다. 하지만 인간의 관리 하에서 두꺼운 씨앗 껍질은 불필요한데, 농부들이 습기와 포식자를 피해 씨앗을 저장하는 책임을 피하기(→넘겨받기) 때문이다. 사실, 더 얇은 껍질을 가진 씨앗은 더 먹기 쉬워서 선호되었다.
구문 풀이
- **But under human management thick seed coats are unnecessary**: under human management는 부사구이고, 주어는 thick seed coats이다.

해설 ② 농부들이 씨앗의 관리를 맡게 되면 두꺼운 씨앗 껍질이 하는 역할(습기와 포식자로부터 씨앗을 떨어트려 저장하는 것)을 '넘겨 받기' 때문이라는 내용이 이어져야 자연스럽다. evade는 '회피하다'라는 의미이므로, '넘겨받다'라는 의미의 take over 등으로 바꿔야 한다.
어휘 essential 필수적인 natural 자연의 environment 환경 responsibility 책임, 의무

3 **해석** 적절하게 보관되지 않을 경우 많은 약들이 효과가 없어지므로 약품을 바르게 보관하는 것은 매우 중요하다. 욕실의 약장은 욕실의 습기와 열기가 약을 손상시킬 수 있어서 약을 보관하기에 좋은 장소가 아니다.

끊어 읽기

The bathroom medicine cabinet / is not /
욕실의 약장은 ~이 아니다
a good place / to keep medicine / because /
좋은 장소 약을 보관하는 ~ 때문에
the room's moisture and heat / may damage drugs.
그 방(= 욕실)의 습기와 열기가 약에 손상을 줄지도 모른다

해설 ① 동명사 Storing을 꾸미는 부사이다.
② 약이 '보관되는' 것이므로 수동태로 쓰는 것이 알맞다.
③ because of 뒤에는 명사(구)가 나와야 하는데, 뒤에 절이 있으므로 접속사로 고쳐야 한다. (→ because)

4 **해석** Keith가 피아노를 연주하기 시작했을 때, 모든 사람들이 이것은 마술이라는 것을 즉시 알았다. Keith는 피아노의 단점에도 불구하고 예상치 못하게 일생일대의 연주를 해내고 있었다. Keith는 충분한 음량이 발코니까지 도달하도록 하기 위해 그 피아노를 정말로 아주 세게 연주해야 했다.
해설 ① 주어가 this이므로 단수이고, 주절의 시제가 과거이므로 일치시켜서 was로 쓰는 것이 알맞다.
② 뒤에 명사구가 쓰였으므로 접속사 though를 전치사로 고쳐야 한다. (→ in spite of 또는 despite)
③ hard는 부사로 '세게'라는 의미를 나타낸다.
어휘 immediately 즉시 magic 마술 volume 음량

5 Day Words from the Tests

개념 원리 확인 ① p. 119

1 ② **2** ③ **3** ① **4** ① **5** ① **6** ②

1 ① *v.* 번창했다 ② *v.* 보존했다 ③ *v.* 제출했다
2 ① *prep.* ~을 통하여 ② *v.* 생각했다 ③ *a.* 철저한, 빈틈없는
3 ① *v.* 보호하다 ② *v.* 선호하다 ③ *n.* 가망, 전망
4 ① *prep.* ~을 통하여 ② *a.* 철저한, 빈틈없는 ③ *n.* 위협
5 ① *v.* 관찰하다 ② *v.* 보존하다 ③ *v.* ~을 받을 만하다
6 ① *v.* 보호하다 ② *n.* 가망, 전망 ③ *n.* 존재, 참석

5 Day Grammar from the Tests

개념 원리 확인 ② p. 121

1 losing **2** shouting **3** in the dark **4** preserve
5 find **6** appropriate

1 **해석** 그는 사자가 얼룩말 한 마리를 잡았다가 곧 놓치는 것을 목격했다.
해설 등위접속사 but으로 연결된 catching으로 보아 현재분사 losing이 알맞다.

2 **해석** 그녀는 기쁨에 넘쳐 침대에서 뛰어내려 복도를 뛰어가며 소리쳤다.
해설 등위접속사 and로 연결된 running으로 보아 현재분사 shouting이 알맞다. 연속동작을 나타내는 분사구문으로 볼 수 있다.

3 **해석** 올빼미는 어둠 속에서나 먼 거리에서나 아주 잘 볼 수 있다.
해설 상관접속사 「both *A* and *B*」 구조로 연결되어 있는 어구가 at a distance, 즉 부사구이므로 in the dark가 적절하다.

4 **해석** 우리는 그 숲을 보호하는 것뿐만 아니라 보존하기까지 해야 한다.
해설 상관접속사 「not only *A* but also *B*」 구조로 연결되어 있는 것이 동사원형 protect이므로 preserve가 알맞다.

5 **해석** 여러분의 이야기를 타인과 공유함으로써 의견을 얻고 해결책을 찾을 수 있다.
해설 등위접속사 and로 동사원형 get과 연결되어 있으므로 find가 알맞다.

6 **해석** 아이들은 무엇이 적절하고 적절하지 않은 행동으로 여겨지는지 배울 필요가 있다.
해설 등위접속사 or로 뒤의 형용사 inappropriate과 연결되어 있으므로 형용사 appropriate가 알맞다.

5 Day 기초 유형 연습 pp. 122~123

Words in Paragraphs
1 ② **2** ②
Grammar for Tests
3 ③ **4** ③

1 **해석** 바나나 한 다발은 일곱 개에서 아홉 개의 송이로 이루어져 있는데, 각각의 송이는 빽빽이 싸인 나뭇잎 덮개의 무리를 통과해 천천히 성장하는 열 개에서 스무 개의 (손가락 모양의) 바나나를 포함하고 있다. 바나나는 익기 직전에 수확되어 포장되고, 최종적으로 우리의 지역 슈퍼마켓으로 배송된다.

끊어 읽기

A bunch of bananas / is made up /
바나나 한 다발은 이루어져 있다
of seven to nine hands, / each /
일곱 개에서 아홉 개의 송이로 각각은(각각의 송이는)
containing 10 to 20 fingers / which grow slowly /
열 개에서 스무 개의 바나나를 포함하고 있는 / 천천히 자라는
through a mass / of tightly packed leaf covers.
무리를 통과하여 빽빽이 싸인 나뭇잎 덮개의

해설 ② 나뭇잎 덮개의 무리를 '통과하여' 자라난다는 것이 적절하므로 '~을 통해, ~을 통과하여'라는 의미의 전치사 through가 와야 알맞다. thorough는 형용사로 '철저한'이라는 뜻이므로 적절하지 않다.
어휘 packed 꽉 들어찬 package 포장하다 deliver 배송하다

2 해석 우리는 모두 환경을 돌보아야 할 책임이 있다. 미래 세대를 위한 환경 관찰(→ 보존)의 중요성을 오랫동안 알아 온 캐나다 원주민들에게서 배울 수 있다. 여러분이 물려받고, 지니고 사는 것은 미래 세대의 유산이 될 것이다.
해설 ② 환경을 돌보는 것이 중요하다고 말하는 글이다. 앞의 looking after와 의미가 통하도록 '관찰'이라는 의미의 observing이 아닌 '보존'이라는 의미의 preserving으로 고치는 것이 알맞다.

3 해석 5,000 평방피트의 집을 채웠던 물건들을 2,000 평방피트의 공동 주택에 맞춰 넣을 수는 없다. 더 작은 크기의 공동 주택으로 이사를 간다면 그것은 좋다. 살림살이들을 처분하고 공동 주택을 사라.
해설 ① 선행사가 사물인 objects이고, 뒤에 동사가 나오므로 주격 관계대명사 that의 쓰임이 적절하다.
② 주어인 you가 '이사를 가는' 것이므로 능동을 나타내는 현재분사가 적절하다.
③ buying과 등위접속사 and로 연결되는 것은 Get으로, 동사원형으로 시작하는 명령문 형식이다. (→ buy)

4 해석 짝을 이루는 두 사람 중 한 사람이 약간의 돈을 받는다. 그런 뒤 그 사람은 자기 짝에게 그 돈의 일부를 줄 기회를 갖는다. 짝에게는 두 가지의 선택권만 있다. 그는 주어지는 것을 받거나, 아무것도 받지 않겠다고 거절할 수 있다. 협상의 여지는 없다.
구문 풀이
- **He can take what's offered or refuse to take anything.**: what은 선행사를 포함하는 관계대명사로 쓰였다. 등위접속사 or이 동사원형 take와 refuse를 연결해서 조동사 can에 이어주고 있다.

해설 ① 흐름상 돈을 '받는' 것이 자연스러우므로 수동태를 이루는 과거분사의 쓰임이 자연스럽다.
② it이 가리키는 것은 some money이고, 셀 수 없는 명사이므로 단수의 대명사 it이 알맞게 쓰였다.
③ refused와 등위접속사 or로 연결되는 것은 의미상 앞의 과거분사 offered가 아닌 조동사 can 뒤의 take이다. 조동사 can 뒤에는 동사원형만 올 수 있다. (→ refuse)
어휘 opportunity 기회 offer 제안하다, 권하다

3주 누구나 100점 테스트

pp. 124~125

1 ④ 2 ② 3 ③ 4 ⑤

1 해석 우리 인생에서 최고의 순간은 수동적이고 긴장이 풀린 순간이 아니다 — 그런 경험들을 쟁취하기 위해 열심히 노력했다면 그것들 또한 즐거운 것일 수는 있다 해도 말이다. 최고의 순간들은 대개 어려운 것을 성취하기 위한 자발적인 노력 속에 한 사람의 신체나 정신이 한계점까지 발휘될 때 찾아온다. 따라서 최적의 경험은 우리가 발생하도록 만드는 것이다. 단거리 선수에게 그것은 자신의 기록을 깨려 노력하는 것일 수 있고, 바이올린 연주자에게는 단순한(→ 복잡한) 악절을 숙달하는 것일 수 있다. 사람마다 스스로를 넓히는 수천 개의 기회가 있다.
구문 풀이
- **for a violinist, mastering a complicated musical passage**: mastering ~ passage는 동명사구이다. mastering 앞에 it could be가 생략된 형태이다.

끊어 읽기

The best moments / usually occur / when /
최고의 순간들은 대개 발생한다 ~할 때
a person's body or mind / is stretched /
한 사람의 신체나 정신이 발휘되다
to its limits / in a voluntary effort / to accomplish /
그것의 한계점까지 / 자발적인 노력 속에 성취하기 위한
something difficult.
어려운 어떤 것을

해설 ④ 흐름상 어려운 것을 노력으로 달성하는 경험의 예를 들고 있으므로, 복잡한 악절을 숙달한다고 해야 어울린다. 따라서 an uncomplicated musical passage(단순한 악절)를 a complicated musical passage(복잡한 악절)로 바꾸는 것이 자연스럽다.
어휘 passive 수동적인 enjoyable 즐거운 occur 일어나다, 발생하다 stretch (기술·지능 등을) 발휘하다 limit 한계(점) voluntary 자발적인 accomplish 성취하다 optimal 최적의 sprinter 단거리 선수 break the record 기록을 깨다 musical passage 악절 opportunity 기회 expand 확장하다

2 해석 당신이 물질주의적이지 않더라도, 특정한 옷에 애착을 형성할 수 있다. 오래된 노래처럼, 옷은 소중한 기억과 고통스러운 기억을 모두 피할(→ 불러일으킬) 수 있다. 실용적이지 않은 하얀 목도리는 그 목도리의 우아한 소유자에 대한 기억 때문에 마지막 순간에 기부 물품 주머니에서 꺼내질지도 모른다. 그리고 찢어진 티셔츠는 그 위에 쓰인 록 밴드의 이름 — 당신이 십 대 때 가장 좋아했던 밴드 — 때문에 쓰레기통에서 구제될지도 모른다. 화석이 고고학자에게 시간을 기록해 주는 것과 같은 방식으로 옷은 우리에게 개인의 역사를 기록해 준다.

끊어 읽기

An impractical white scarf / might be pulled /
실용적이지 않은 하얀 목도리는 잡아당겨질지도 모른다
out of a donation bag / at the last minute /
기부 물품 주머니 밖으로 마지막 순간에
because of / the memories / of its elegant owner.
~ 때문에 기억들 그것의 우아한 소유자의

해설 ② 좋은 기억들 때문에 옷을 버리지 못하고, 옷이 개인적인 역사를 기록해 준다는 내용이 이어지는 것으로 보아 옷이 기억을 피하는(evade) 것이 아니라 기억을 불러일으키는(evoke) 것이라고 할 수 있다.

어휘 attachment 애착 donation bag 기부 물품을 넣는 주머니 at the last minute 마지막 순간에, 임박해서 elegant 우아한 ripped 찢어진 rescue 구조[구제]하다 fossil 화석

3 **해석** 기부하는 행위를 연구하는 심리학자들은 어떤 사람들은 한두 군데의 자선단체에 많은 액수를 기부하는 반면, 다른 사람들은 많은 자선단체에 적은 액수를 기부한다는 것을 알게 되었다. 한두 군데의 자선단체에 기부하는 사람들은 그 자선단체가 무슨 일을 하고 있는지와 그것이 실제로 긍정적인 영향을 끼치고 있는지에 관한 증거를 찾는다. 만약 그 증거가 자선단체가 정말로 다른 사람들을 돕고 있다는 것을 보여준다면, 그들은 많은 기부금을 낸다. 적은 액수의 돈을 많은 자선단체에 기부하는 사람들은 그 단체들이 정말로 다른 사람들을 돕는지에 대해서는 그리 관심이 없다. 기부가 미치는 영향과 관계없이 자신들이 기부하고 있다는 것을 아는 것이 그들을 기분 좋게 만든다.

구문 풀이

- **Those who donate to one or two charities seek evidence**: who ~ two charities가 Those를 꾸미는 주격 관계대명사절이고 문장 전체의 동사는 seek이다.

해설 ① 주어 Psychologists가 복수이므로 복수 동사가 알맞다.
② 주어 others가 복수이므로 복수 동사가 알맞다.
③ 뒤에 「주어+동사+목적어」를 갖춘 완전한 절이 이어지므로 관계대명사나 의문사로 쓰이는 what은 적절하지 않다. 문맥상 '~인지 아닌지'의 의미를 나타내는 접속사로 고쳐야 한다. (→ whether)
④ 주어인 they가 many charities로, 능동의 의미가 적절하므로 현재진행형을 이루는 현재분사가 알맞다.
⑤ them이 가리키는 것은 의미상 앞 문장의 Those who give small amounts to many charities이므로 목적격 3인칭 복수 대명사가 알맞다.

어휘 psychologist 심리학자 notice 알아채다 amount 양 charity 자선단체 donate 기부하다 seek 찾다 evidence 증거 positive 긍정적인 impact 영향 donation 기부 regardless of ~에 관계없이

4 **해석** 모든 생물체가 생존에 충분한 먹이를 찾을 수 있는 것은 아니다. 기아는 생물학적 진화가 기능하게 되는 선별 과정의 일부이다. 그것은 생존에 덜 적합한 생물체들, 스스로와 그들의 새끼를 위한 먹이를 찾는 데에 미숙한 생물체들을 걸러내도록 돕는다. 어떤 환경에서는 기아가 유전적 변종들이 종의 개체군을 장악하는 길을 열어주고 결국에는 새로운 종이 출현할 수 있게 할지도 모른다. 자연에서 어떤 생물체들이 굶주려야만 한다는 것은 매우 슬프다. 하지만, 기아는 더 큰 다양성을 가져올 수 있다.

구문 풀이

- **It helps filter out those (that are) less fit to survive, those (that are) poor in finding food**: those 뒤에 that are가 생략되었다고 볼 수 있다. fit은 '~에 적합한'이라는 의미의 형용사로 쓰였고, to survive가 형용사를 수식하는 부사적 용법으로 쓰여 '생존하기에'로 해석한다.
- **it may pave the way for genetic variants to take hold in the population of a species and eventually allow**: to take의 의미상 주어는 genetic variants이다. 동사 pave와 allow가 등위접속사 and로 조동사 may 뒤에 연결되어 있다.

해설 ① to survive는 앞의 enough food를 꾸미는 형용사적 용법의 to부정사이다.
② which의 선행사는 the process of selection이다. 'biological evolution functions by the process of selection'이 성립하므로 쓰임이 알맞다.
③ 재귀대명사 themselves가 가리키는 것은 주어인 those이므로 알맞다.
④ allow는 등위접속사 and에 의해 조동사 may 뒤의 pave와 연결되므로 동사원형으로 쓰는 것이 알맞다.
⑤ 뒤에 완전한 형태의 절이 나오므로 관계대명사가 아닌 접속사 that을 쓰는 것이 알맞다. That some organisms must starve in nature가 주어인 명사절이고, 문장의 동사는 is이다. (→ That)

어휘 organism 생물체, 유기체 survive 생존하다 process 과정 selection 선택, 선별 biological 생물학적인 evolution 진화 function 기능하다 filter out 걸러내다 circumstance 환경, 상황 pave the way for ~을 위해 길을 열다 take hold 장악하다 population 개체군[수] species 종 eventually 결국 emergence 출현 diversity 다양성

창의 · 융합 · 사고력 pp. 126~131

A **1** 집중을 방해하는 것 **2** 합리화하다 **3** 숙고하다 **4** ~을 통해
B **1** complement **2** attractions **3** extinct **4** preserved

A **해석**
남 내 주변엔 집중을 방해하는 것이 너무 많아! 인터넷, SNS 메시지, 전화…
남 그것들 때문에 공부에 집중할 수가 없어.
여 야, 네 집중력 부족을 합리화하지 말라고.
남 아… 네 말이 맞는 것 같아. 스스로에 대해 숙고할 필요가 있어.

남 그러니 내 문제에 대한 해결책을 인터넷을 통해 찾아봐야 겠어.

B 해석

여1 우리 여행 계획을 보완하고 싶어.
여2 음… 관광 명소를 더 많이 가고 싶니?
여2 자연사 박물관은 어때? 멸종한 동물들에 대해 배울 수 있어.
여1 공룡 같은?
여2 응, 완벽하게 보존된 공룡 화석이 있어.

C realize, respective, respectful, undermine, underlie, depict, remain, compliment
D **1** depict **2** compliment
E **1** distraction **2** extract **3** reflect **4** attain **5** predict **6** adapt **7** evade **8** thorough
F **1** managed **2** whose **3** where **4** that **5** during **6** relax
G **1** (1) 잘못 말한 사람: Amy
(2) 바르게 고친 문장: Sorry, I thought that it was just a joke.
2 (1) 잘못 말한 사람: Brian
(2) 바르게 고친 문장: Neither vacuuming nor singing a song is allowed after 9 p.m.
3 (1) 잘못 말한 사람: Chris
(2) 바르게 고친 문장: Did you hear the news that the hurricane hit our hometown?

D **1 해설** 동사(verb)이면서 '묘사하다(describe)'라는 의미를 가진 어휘는 depict이다.

2 해설 동사(verb)와 명사(noun)이면서 '칭찬하다; 칭찬(praise)'의 의미를 가진 어휘는 compliment이다.

F **1 해석** 그는 그 가게를 소유하지 않았지만 그것을 경영했다.
해설 「not *A* but *B*」 구조로, 과거 시제의 동사끼리 연결되어 있다. 따라서 managed가 알맞다.

2 해석 나는 목도리가 빨간 아이를 찾고 있다.
해설 뒤에 관사가 없는 명사가 나오므로 소유격이 앞에 오는 것이 적절하다.

3 해석 너는 그 영화가 촬영된 마을을 방문할 거니?
해설 뒤에 완전한 형태의 절이 나오고 앞에 장소를 나타내는 선행사 the town이 있으므로 관계부사 where가 알맞다.

4 해석 너는 그 배우가 결혼했다는 소문을 들었어?
해설 뒤에 완전한 형태의 절이 나오므로 명사절을 이끄는 접속사 that이 오는 것이 알맞다. (the rumor = that절)

5 해석 휴가철에 모든 방이 예약되어 있다.
해설 뒤에 명사구가 있으므로 전치사 during이 알맞다.

6 해석 기차가 출발하면 편안히 앉아 긴장을 풀고 바깥 경치를 즐겨라.
해설 등위접속사 and로 동사 sit과 연결되므로 relax가 알맞다.

G **1 해설** it was just a joke가 완전한 형태의 절이므로 관계대명사 what이 아닌 접속사 that을 써야 한다.

2 해설 상관접속사 neither ~ nor로 vacuuming과 연결되어 있고 문장의 주어가 되어야 하므로 sing을 동명사 singing으로 고쳐 써야 한다.

3 해설 the hurricane hit our hometown이 완전한 형태의 절이므로 관계대명사 which가 아닌 접속사 that을 써야 한다. (the news = that절)

파생어/품사, 가정법, 특수 구문

이번 주에는 무엇을 공부할까? ❶ pp. 132~133

1 ❶ 부족, 결핍 ❷ 생존
2 ❶ 불만 ❷ 규정, 통제
3 ❶ 압박(감) ❷ 격려
4 ❶ 처참한 ❷ 협력하는

이번 주에는 무엇을 공부할까? ❷ pp. 134~135

간단 체크 1

(1) their (2) unexpected (3) similarly (4) comfortable

(1) **해석** 고대 그리스인들은 그들의 와인에 물을 넣곤 했다.
해설 Greeks를 가리키는 말이므로 복수인 their가 알맞다.

(2) **해석** 그것은 예상치 못한 질문이었다.
해설 명사 question을 수식하므로 형용사가 알맞다.

(3) **해석** 그들은 가능한 한 비슷하게 그림을 그렸다.
해설 동사 painted를 수식하므로 부사가 알맞다.

(4) **해석** 민박집 가족은 나를 편안하게 만들었다.
해설 동사 made의 목적격 보어로 형용사가 알맞다.

간단 체크 2

(1) won (2) hadn't (3) did I see (4) was an old castle

(1) **해석** 내가 복권에 당첨된다면 나는 세계를 여행할 텐데.
해설 가정법 과거의 if절에서 동사는 과거형으로 쓴다.

(2) **해석** 내가 그 표지판을 알아차리지 못했더라면 나는 다쳤을 수도 있었다.
해설 가정법 과거완료의 if절은 「if+주어+had+과거분사」이다.

(3) **해석** 나는 그렇게 아름다운 일몰을 본 적이 없었다.
해설 부정어가 문두에 오면 「부정어+조동사+주어+동사」의 어순이다.

(4) **해석** 언덕 위에 오래된 성이 있었다.
해설 부사구가 문두에 오면 주어와 동사가 도치된다.

1 Day Words from the Tests

개념 원리 확인 ① p. 137

1 ③ 2 ② 3 ① 4 ① 5 ② 6 ①

1 ① *v.* 가까스로 ~했다 ② *v.* 낙담시켰다 ③ *v.* 격려했다
2 ① *v.* ~을 할 수 있게 하다 ② *a.* (~에) 취약한, 연약한 ③ *a.* 편안한
3 ① *n.* 불평, 불만 ② *n.* 보완물 ③ *n.* 회사
4 ① *v.* 생존했다 ② *v.* 놀라게 했다 ③ *v.* 둘러쌌다
5 ① *n.* 무한성 ② *a.* 무한한 ③ *a.* 각각의, 개인의
6 ① *v.* 의견이 일치했다 ② *v.* 참석했다 ③ *v.* 격려했다

1 Day Grammar from the Tests

개념 원리 확인 ② p. 139

1 their 2 those 3 Those 4 that
5 themselves 6 themselves

1 **해석** 쌍둥이는 서로 돕고 그들의 감정을 공유하기로 합의했다.
해설 twins를 가리키는 말이므로 their가 알맞다.

2 **해석** 새의 뼈는 다른 동물의 뼈와 다르다.
해설 bones를 가리키는 말이므로 those가 알맞다.

3 **해석** 항상 불평하는 사람은 결코 성공하지 못할 것이다.
해설 '~하는 사람들'이라는 의미의 those가 알맞다.

4 **해석** 중국의 인구는 러시아의 인구보다 거의 10배 정도 많다.
해설 population을 가리키는 말이므로 that이 알맞다.

5 **해석** 위장은 동물들이 그들의 서식지에서 생존하기 위해 스스로를 보호하는 방법이다.
해설 주어와 목적어가 animals로 같기 때문에 재귀대명사 themselves가 알맞다.

6 **해석** 음악은 아이들이 춤과 움직임을 통해 자신을 표현하도록 격려하기 위해 사용된다.
해설 의미상 주어와 목적어가 children으로 같기 때문에 재귀대명사 themselves가 알맞다.

1 Day 기초 유형 연습 pp. 140~141

Words in Paragraphs
1 complaints 2 survival
Grammar for Tests
3 ③ 4 ②

1 **해석** 과거 1870년대에, Sholes & Co.는 당시 타자기 제조업의 선두 기업이었다. 그것은 사용자들로부터 타자를 치는 사람이 너무 빨리 치면 타자기의 키가 서로 엉킨다는 불평을 많이 받

았다. 그에 대한 대응으로, 경영진은 엔지니어들에게 이런 일이 발생하지 않도록 하는 방법을 강구하라고 요청했다.

구문 풀이

- **about typewriter keys sticking together**: typewriter keys는 의미상 주어이고 동명사 sticking은 전치사 about의 목적어이다.

해설 작업자가 타자를 너무 빨리 치면 타자기의 키가 엉킨다는 것은 문제점이므로 사용자들의 '불평(complaints)'을 받았다고 하는 것이 적절하다.

어휘 leading 선두적인 management 경영진 figure out a way 방법을 생각해내다[발견하다]

2 **해석** 사람들은 그들의 일을 하면서 행복하지 않을 때, 자신의 일에 의해서는 성취감을 못 느끼기 때문에 더 많은 돈을 원하는 경향이 있다. 비록 당신의 일이 당신을 만족시키지 못할지라도, 그것은 당신과 당신이 사랑하는 사람들을 위해 식탁에 음식을 차린다(먹고 살 돈을 벌어준다). 생존 때문에 일을 하는 것은 이상적이지 않지만, 당신은 살아가기 위해서 당신이 해야 하는 일을 한다.

구문 풀이

- **you do what you have to do to live**: what you have to do는 명사절로 동사 do의 목적어 역할을 하고, to live는 목적을 나타내는 부사적 용법으로 쓰였다.

해설 성취감은 못 느끼는 일이지만 먹고 살기 위해 해야 하는 일을 한다는 의미이므로 '생존(survival)'을 위한 일이라고 하는 것이 적절하다.

3 **해석** "잠은 죽어서나 자는 것이다."라는 옛말은 유감스럽다. 이런 사고방식을 가지면, 여러분은 더 빨리 죽게 될 것이고 그 삶의 질은 더 나빠질 것이다. 안타깝게도, 인간은 사실 합당한 이익 없이 의도적으로 스스로의 잠을 빼앗는 유일한 종이다.

끊어 읽기

Sadly, / human beings are / in fact / the only species /
안타깝게도 / 인간은 ~이다 사실 유일한 종
that will deliberately deprive / themselves / of sleep /
의도적으로 빼앗는 스스로에게서 잠을
without legitimate gain.
합당한 이익 없이

해설 ① 「명령문, and ~」는 '~해라, 그러면 …할 것이다'라는 의미이다.
② 관계사절 안에서 주어 역할을 하는 주격 관계대명사 that이 바르게 쓰였다.
③ 주어와 동사의 목적어의 대상이 the only species로 같으므로 재귀대명사를 써야 한다. (→ themselves)

4 **해석** 이 정원에 들어오자마자 내가 알아차리는 첫 번째는 발목 높이의 풀이 울타리 반대편의 그것(풀)보다 더 푸르다는 것이다. 셀 수 없이 다양한 수십 종의 야생화들이 길 양편으로 땅을 덮고 있다. 덩굴 식물들은 윤이 나는 은색의 대문을 덮고 있고 거품을 내며 흐르는 물소리가 어디선가 들려온다.

구문 풀이

- 첫 문장에서 주어부는 The first thing ~ garden이고 동사는 is이다.

해설 ① 「upon+-ing」는 '~하자마자'라는 의미이다.
② 앞에 나온 명사 grass를 가리키고 있으므로 that이 알맞다. (→ that)
③ 접속사 and로 두 문장이 연결된 형태이며 두 번째 주어 the sound가 단수이므로 3인칭 단수 동사 comes가 온다.

어휘 notice 알아차리다 countless 셀 수 없이 많은 path 길

2 Day Words from the Tests

개념 원리 확인 ① p. 143

1 ③ **2** ① **3** ③ **4** ① **5** ② **6** ②

1 ① *n.* 보물 ② *n.* 즐거움 ③ *n.* 압박(감)
2 ① *a.* 부족한, 드문 ② *a.* 무서운 ③ *ad.* 거의 ~않다
3 ① *v.* 실패하다 ② *v.* 파괴하다 ③ *v.* 번창하다
4 ① *a.* 다양한 ② *n.* 필요성 ③ *n.* 다양성
5 ① *n.* 정확성 ② *n.* 의존 ③ *n.* 자신감
6 ① *n.* 혼란 ② *n.* 일관성 ③ *n.* 경향

2 Day Grammar from the Tests

개념 원리 확인 ② p. 145

1 consistently **2** strong **3** easily **4** bitter
5 dependent **6** confident

1 **해석** 그 남자는 일관되게 자신의 죄를 부인했다.
해설 동사 denied를 수식하는 말이므로 부사가 알맞다.

2 **해석** 정부는 법을 바꿔야 한다는 강한 압박을 받고 있다.
해설 명사 pressure를 수식하는 말이므로 형용사가 알맞다.

3 **해석** 놀이공원은 차로 쉽게 접근할 수 있다.
해설 형용사 accessible을 수식하는 말이므로 부사가 알맞다.

4 **해석** 대부분의 아이들은 약이 쓰기 때문에 싫어한다.
해설 감각 동사 taste의 주격 보어로 형용사를 써야 한다.

5 **해석** 십 대들은 휴대 전화에 너무 의존적이 되었다.
해설 상태를 나타내는 동사 become 다음에 주격 보어로 형용사를 써야 한다.

6 **해석** 어떤 사람은 성공이 그들을 자신감 있게 만든다고 생각한다.
해설 동사 makes의 목적격 보어로 형용사를 써야 한다.

2 Day 기초 유형 연습 pp. 146~147

Words in Paragraphs
1 ③ 2 ②
Grammar for Tests
3 ③ 4 ③

1 **해석** 많은 학생들이 공부하려고 늦게까지 깨어 있기 위해서 또는 잠을 거의 자지 않고 집중력을 유지하기 위해 카페인을 사용한다는 것은 널리 알려져 있다. 사실 일부 전문가들은 고등학생들 사이에서 카페인 부족(→ 의존도)가 지난 5년 동안 꾸준히 증가해 왔다고 보고한다.
구문 풀이
• ~ caffeine dependency among high school students (주어부) has steadily increased over the past five years.
5년 간 계속된 일을 나타내므로 현재완료를 사용하고, 주어 caffeine dependency가 단수이므로 「has+과거분사」를 쓴다.
해설 ③ 많은 학생이 깨어 있거나 집중력을 유지하기 위해 카페인을 사용하고 있다고 했으므로 카페인에 대한 '의존도(dependency)'가 증가했다는 흐름이 적절하다.

2 **해석** 가설은 적절하게 사용되지 않으면 문제를 일으킬 수 있는 도구이다. 우리는 가설이 사실과 일치하는(→ 일치하지 않는) 것이 드러나자마자 우리의 가설을 폐기하거나 수정할 준비가 되어 있어야 한다. 이것은 말처럼 쉽지는 않다. 연구자들이 반대되는 증거에 눈을 감으면서 자신들의 무너진 가설에 집착하는 것은 전혀 드문 일이 아니다.
구문 풀이
• It (가주어) is not at all (전혀 ~이 아닌) rare for researchers (의미상 주어) to adhere to their (진주어) broken hypotheses, turning a blind eye to contrary (~하면서(동시동작을 나타내는 분사구문)) evidence.
해설 ② 폐기하거나 수정해야 할 가설은 사실과 '일치하지 않는(inconsistent)' 가설이라고 하는 것이 적절하다.
어휘 tool 도구 cause 일으키다, 야기하다 rare 드문 researcher 연구자 broken 무너진 evidence 증거

3 **해석** 우리는 텔레비전을 너무 많이 보는 것을 중단하고 싶어 하지만, 명백하게도 우리는 또한 텔레비전을 많이 보기를 원한다. 그래서 우리가 정말로 원하는 것은, 원하는 것을 멈추는 것처럼 보인다. 우리는 습관이 필요에 대한 반응임을 이해할 필요가 있다. 이것은 명백하게 들리지만, 습관 변경에 대한 수많은 노력들은 그것의 영향을 무시한다.
해설 ① 문장 전체를 수식하는 말이므로 부사가 알맞다.
② what이 이끄는 절이 주어이므로 단수 취급한다.
③ 감각 동사 sound의 주격 보어로 형용사가 와야 한다. (→ obvious)

4 **해석** 수면 부족은 면역 체계에 큰 영향을 미친다. 학생들과 교사들은 모두 첫 학기의 끊임없는 스트레스로 인해 잠이 부족한 상태이고, 그것은 우리의 발목을 잡기 시작한다. 우리의 면역 체계는 우리가 휴식을 잘 취할 때 그것(면역 체계)이 하는 것만큼 효과적으로 기능하지 못하고 있고, 우리는 아프게 된다.

끊어 읽기
Our immune systems (우리의 면역 체계는) / are not functioning (기능하지 못하고 있다) / as effectively as (~만큼 효과적으로) / they do (그들이 기능하다) / when we are well rested, (우리가 휴식을 잘 취할 때) / and we get sick. (그리고 우리는 아프게 된다)

해설 ① 주어가 단수이므로 단수 동사를 쓴다.
② 명사 stress를 수식하므로 형용사가 알맞다.
③ 「as+형용사/부사의 원급+as」 형태인 원급 비교 구문이 동사구 are not functioning을 수식해야 하므로 부사가 와야 한다. (→ effectively)
어휘 influence 영향; 영향을 미치다 sleep-deprived 잠이 부족한 semester 학기 effective 효과적인

3 Day Words from the Tests

개념 원리 확인 ① p. 149

1 ① 2 ① 3 ② 4 ① 5 ③ 6 ②

1 ① *v.* 줄이다 ② *v.* 요청하다, *n.* 요청 ③ *v.* 요구하다
2 ① *a.* 정확한 ② *n.* 정확(성) ③ *a.* 소중한
3 ① *n.* 기능, *v.* 기능하다 ② *n.* 인정 ③ *n.* 해결
4 ① *v.* 조절하다 ② *v.* 반영하다 ③ *v.* 나타내다
5 ① *v.* 받다 ② *v.* 복원하다 ③ *v.* 제한하다
6 ① *n.* 건설 ② *n.* 파괴 ③ *n.* 지시

3 Day Grammar from the Tests

개념 원리 확인 ② p. 151

1 knew 2 had recognized 3 could
4 had obeyed 5 had been 6 were

1 **해석** 내가 그 농장의 정확한 위치를 알고 있다면 네게 말해줄 텐데.
해설 주절에 「주어+조동사의 과거형+동사원형 …」이 쓰였으므로 가정법 과거 문장이다. 따라서 if절에 동사의 과거형을 써야 한다.

2 **해석** 그녀가 그 문제를 더 일찍 알아차렸더라면 그것을 해결할 수 있었을 텐데.
해설 주절에 「주어+조동사의 과거형+have+과거분사 …」가 쓰였으므로 가정법 과거완료 문장이다. 따라서 if절에 「had+과거분사」를 써야 한다.

3 **해석** Emma에게 시간이 더 많다면, 그녀는 휴가를 갈 수 있을 텐데.
해설 가정법 과거는 현재의 사실을 반대로 가정하며 「If+주어+동사의 과거형 ~, 주어+조동사의 과거형+동사원형 …」의 형태이다.

4 **해석** 그 운전자가 교통 법규를 지켰더라면 사고는 예방될 수 있었을 텐데.
해설 가정법 과거완료는 과거의 사실을 반대로 가정하며 「If+주어+had+과거분사 ~, 주어+조동사의 과거형+have+과거분사 …」의 형태이다. if절을 뒤에 쓸 수 있다.

5 **해석** Kevin은 전에 유럽을 가봤던 것처럼 말한다.
해설 as if 가정법 과거완료는 주절보다 앞선 시점의 사실과 반대 상황을 가정하며 「as if+주어+had+과거분사 ~」의 형태이다.

6 **해석** Amy는 유명인사가 아닌데, 그녀는 마치 유명인사인 것처럼 행동한다.
해설 as if 가정법 과거는 주절과 같은 시점의 사실과 반대되는 상황을 가정하며 형태는 「as if+주어+were/동사의 과거형 ~」이다.

3 Day 기초 유형 연습 pp. 152~153

Words in Paragraphs
1 ③ **2** ③
Grammar for Tests
3 ③ **4** ②

1 **해석** 크리스마스 준비 기간에는, 점점 늘어나는 광고의 수가 장난감 및 게임용품에 관한 것이다. 그러한 관행은 매스컴이 칭해 온 '부모에게 떼를 써서 물건을 구매하게 하는 힘'에 굴복하라고 부모들에게 압박을 가하는 것으로 여겨진다. 이것은 유럽과 미국에서 광고를 장려하는(→ 규제하는) 법률 제정을 요구하도록 이끌었다.
구문 풀이
- **to what the media have named "pester power"**: what이 이끄는 절이 to의 목적어이다.

해설 ③ 아이들을 겨냥한 광고들의 문제점을 언급했으므로 광고를 '규제하는(regulate)' 법률 제정에 대한 요구가 있었다는 내용이 이어져야 자연스럽다.

2 **해석** 1920년대까지는 경쟁하는 (경기용) 수영 영법이 단 세 가지가 있었는데 자유형, 배영, 그리고 평영이 그것이다. 1920년대에 평영으로 한 실험에서 새로운 영법이 발전했다. 오늘날 '접영'으로 알려진 이 새로운 영법은 네 번째 수영 영법으로 제한(→ 인정)을 받았고, 1956년에 올림픽 종목이 되었다.
해설 ③ '접영'이 올림픽 종목이 되었다는 내용이 이어지므로 네 번째 수영 영법으로 '인정(recognition)'을 받았다고 해야 자연스럽다.

3 **해석** Clauss는 두 명의 수영하던 사람들이 첨벙거리고 있는 것을 보았다. 서핑보드를 움켜쥐고서 그는 파도를 향해 달려갔다. Clauss는 가까스로 두 사람 중 한 명에게 닿았고 그를 서핑보드 위로 올릴 수 있었다. 그는 다른 한 소년을 찾으러 차가운 물속에 일곱 번이나 들어갔으나 운이 따르지 않았다(찾지 못했다). 경찰관은 만약 Clauss가 그렇게 신속하게 반응하지 않았더라면 한 명 대신 두 명의 익사자가 있었을 거라고 말했다.
구문 풀이
- **Grabbing his surfboard, ~.**: 부사절 As he grabbed his surfboard를 분사구문으로 바꾼 것이다.

해설 ① 지각동사 see의 목적격 보어로 동사원형이나 현재분사가 올 수 있다.
② 정해진 두 명 중 하나는 one으로 지칭했고, 나머지 하나는 the other로 지칭하는 것이 알맞다.
③ 과거의 사실을 반대로 가정할 때 가정법 과거완료를 써야 한다. (→ hadn't)

4 **해석** 한번은 Conan Doyle이 소설가 Meredith가 늙고 허약했을 때 그를 방문했던 적이 있었다. 그 두 남자가 길을 걷고 있었는데, Conan Doyle은 그 나이 든 소설가가 뒤에서 쓰러지는 소리를 들었다. 그는 그 소리를 듣고 넘어진 것이 단순히 미끄러진 것이어서 Meredith가 다치지 않았을 거라고 판단했다. 그래서 그는 아무 소리도 듣지 못한 것처럼 뒤돌아보지 않았다.
구문 풀이
- **Conan Doyle heard the old novelist fall behind him**: 지각동사 hear의 목적격 보어로 동사원형인 fall이 온다.
- **and could not have hurt Meredith**: 「could not have+과거분사」는 '~했을 리가 없다'라는 뜻으로 과거의 일에 대한 부정적 추측을 나타낸다.

해설 ① 문장의 본동사가 과거 시제로 쓰였다.
② 뒤에 이어지는 절이 완전한 절이므로 접속사 that이 와야 한다. (→ that)
③ 주절보다 앞선 시점의 사실과 반대되는 상황을 가정하므로 as if 가정법 과거완료를 쓴다.

4 Day Words from the Tests

개념 원리 확인 ① p. 155

1 ① 2 ① 3 ③ 4 ③ 5 ② 6 ②

1 ① *v.* 지지[지원]하다 ② *v.* 반대하다 ③ *v.* 저항하다
2 ① *n.* 답장 ② *n.* 존경, *v.* 존경하다 ③ *n.* 후회, *v.* 후회하다
3 ① *v.* 제한하다 ② *v.* 완성하다 ③ *v.* 협력하다
4 ① *a.* 끊임없는 ② *a.* 수용적인
③ *a.* 저항력 있는, ~에 잘 견디는
5 ① *a.* 서술[묘사]하는 ② *a.* 건설적인 ③ *a.* 파괴적인
6 ① *a.* 친절한 ② *a.* 혼자서 잘 지내는 ③ *a.* 자발적인

4 Day Grammar from the Tests

개념 원리 확인 ② p. 157

1 were 2 did they cooperate
3 stood a solitary lighthouse 4 seen 5 can we
6 does

1 **해석** 차의 뒷좌석에 두 명의 귀여운 소년들이 있었다.
해설 장소·방향의 부사구가 문두에 나와 주어와 동사가 도치된 문장이다. 주어인 two sweet little boys가 복수이므로 복수 동사를 써야 한다.

2 **해석** 그들은 서로 거의 협력하지 않았다.
해설 부정어가 문두에 나와 도치된 구문이다. 부정어 다음에 「조동사+주어+동사」의 어순으로 쓴다.

3 **해석** 그들의 오른쪽에 등대 하나가 서 있었다.
해설 장소·방향의 부사구가 문두에 나와 주어와 동사가 도치된다.

4 **해석** 그 전에도 그 이후에도 나는 그토록 지원을 아끼지 않는 팀을 본 적이 없었다.
해설 부정어가 문두에 나와 도치가 일어난 문장이다. 현재완료가 쓰여 동사 자리에 과거분사가 온다.

5 **해석** 오직 우리 자신을 시험함으로써 우리는 우리가 정말로 이해하고 있는지 아닌지를 결정할 수 있다.
해설 only가 이끄는 부사구나 절이 문두에 오는 경우 도치가 일어나서 「조동사+주어+동사」의 어순으로 쓴다.

6 **해석** 미안하다고 말하는 것이 중요한 것과 같이, 당신이 전진하도록 도와주는 사람들에게 감사를 표할 것을 기억하는 것도 중요하다.
해설 '~도 역시 그렇다'라는 의미로 「so+동사+주어」의 어순으로 쓴다. 이때 주어가 동명사구이므로 단수 동사를 써야 한다.

기초 유형 연습 pp. 158~159

Words in Paragraphs
1 prone 2 solitary
Grammar for Tests
3 ② 4 ③

1 **해석** 걱정은 모든 종류의 학업 성취에 부정적인 영향을 끼친다. 36,000명 이상의 사람들을 대상으로 한 126가지의 다른 연구들은 걱정에 빠지기 더 쉬운 사람일수록 학업 성취도가 더 부진하다는 것을 발견했다.
해설 걱정이 학업 성취에 미치는 부정적인 영향에 대한 근거를 들고 있으므로 걱정에 빠지기 더 '쉬운(prone)' 사람일수록 학업 성취도가 더 낮다는 내용이 이어져야 자연스럽다.

2 **해석** 특정한 종류의 앵무새처럼 매우 사회적인 동물들은 혼자 있을 때 부정적으로 영향을 받는 것처럼 보인다. 몇몇 앵무새들은 오랜 기간 혼자 있으면 미쳐가는 것처럼 보일 것이다. 반면에, 천성적으로 혼자인 (무리지어 살지 않는) 어떤 동물들은 거의 영향을 받지 않는 것처럼 보인다. 몇몇 물고기들, 특히 어떤 종류의 시클리드는 한 수족관에 한 마리 이상을 두면 같은 종과 심지어 싸울 것이다.
구문 풀이
• Highly social animals (주어), such as certain types of parrot, (삽입구) seem to be negatively affected when (they are) kept alone.
주어가 Highly social animals로 복수이므로 복수 동사를 쓴다.
해설 사회적인 동물의 예로 앵무새를 들고 있고 그와 반대의 예로 '혼자 있기를 좋아하는(solitary)' 동물인 시클리드 물고기를 들고 있다.
어휘 highly 매우 for a long time 오랫동안 hardly 거의 ~ 않다 particular 특정한

3 **해석** 아빠가 나에게 자동차 경주를 소개했을 때 나는 다섯 살이었다. 아빠는 자동차 경주 대회에 가는 것이 평범한 가족 외출이라고 생각했다. 그것은 아내와 아이들과 함께 좋은 시간을 보내는 그의 방식이었다. 그는 자신이 아들에게 평생토록 계속될 열정을 부채질하고 있었다는 사실을 결코 알지 못했다.

끊어 읽기
Little did he know / that he was fueling / his son /
그는 거의 알지 못했다 / 그가 부채질하고 있었다는 것을 / 그의 아들을
with a passion / that would last / for a lifetime.
열정으로 / 계속될 / 평생토록

해설 ① it은 가주어이고 to go to a car racing event가 진주어이다.
② 부정어 Little이 문두로 나올 때 주어와 동사가 도치된다. (→ did he)
③ 주격 관계대명사 that이 이끄는 절이 명사 a passion을 수식한다.

4 해석 인간의 몸은 식량이 부족한 환경에서 시간이 흐르면서 진화해 왔다. 따라서 지방을 효율적으로 저장하는 능력은 수천 년 동안 우리 조상에게 많은 도움을 준 소중한 생리적인 기능이다. 겨우 지난 몇 십 년 동안에서야 비로소, 산업 선진 경제국에서 식량이 매우 풍부해지고 구하기 쉬워졌다. 이는 지방과 관련된 건강 문제들을 야기하게 되었다.

끊어 읽기

The human body / has evolved / over time /
인간의 몸은 / 진화해 왔다 / 시간이 흐르면서
in environments of food scarcity; / hence, /
식량이 부족한 환경에서 / 따라서
the ability to store fat efficiently / is a valuable
지방을 효율적으로 저장하는 능력은 / 소중한 생리적인 기능이다
physiological function / that served our ancestors
우리 조상에게 많은 도움을 줬던
well / for thousands of years.
수천 년 동안

해설 ① 과거의 일이 현재에 영향을 미칠 때 현재완료를 사용한다.
② 동사 store를 수식하는 말이므로 부사가 쓰였다.
③ only를 포함한 부사구가 문두에 나와 주어와 동사가 도치된 문장이다. 주어인 food가 단수이므로 단수 동사를 써야 한다. (→ has)
어휘 valuable 소중한 function 기능 serve 도움이 되다, 기여하다 decade 10년 fat-related 지방과 관련된

5 Day Words from the Tests

개념 원리 확인 ① p. 161

1 ② 2 ③ 3 ① 4 ① 5 ③ 6 ①

1 ① *a.* 즐거운 ② *a.* 힘든, 고된 ③ *a.* 유리한
2 ① *a.* 관대한 ② *a.* 장애가 있는 ③ *a.* 처참한, 형편없는
3 ① *n.* 신원, 정체 ② *n.* 부족, 결핍 ③ *a.* 똑같은
4 ① *n.* 공포 ② *a.* 무서운 ③ *n.* 노동, 근로
5 ① *a.* 현대의 ② *a.* 도덕상의 ③ *a.* 보통의, 적당한
6 ① *a.* 자동의 ② *a.* 극적인 ③ *a.* 무시무시한

5 Day Grammar from the Tests

개념 원리 확인 ② p. 163

1 does 2 seem 3 do 4 that 5 that 6 who

1 해석 내 여동생은 칼로리가 높은 음식을 먹기를 정말 좋아한다.
해설 동사를 강조할 때는 do동사를 이용하고, 3인칭 단수 주어이므로 does를 쓴다.

2 해석 Jones 씨는 정말 기분이 나빠 보였다.
해설 동사를 강조할 때 do동사 다음에는 동사원형을 써야 한다.

3 해석 백신은 질병의 끔찍한 확산을 예방하는 것을 정말로 도와준다.
해설 복수 주어이므로 「do+동사원형」을 써서 동사를 강조한다.

4 해석 그가 사고 싶어 하는 것은 바로 자동 로봇 진공청소기이다.
해설 「It is[was] ~ that」 강조 구문을 이용하여 목적어를 강조할 수 있다.

5 해석 내가 일란성 쌍둥이를 처음 본 것은 바로 공항 앞이었다.
해설 「It is[was] ~ that」 강조 구문을 이용하여 부사구를 강조할 수 있다.

6 해석 기온이 떨어짐에 따라 흔히 가장 많이 고통을 겪는 사람들은 바로 노인들이다.
해설 「It is[was] ~ that」 강조 구문에서 강조되는 것이 사람일 경우 that 대신 who를 쓸 수 있다.

5 Day 기초 유형 연습 pp. 164~165

Words in Paragraphs
1 fearsome 2 enjoyable
Grammar for Tests
3 ① 4 ①

1 해석 '사자와 싸우기'를 의미하는 bokator는 앙코르 와트의 벽에 그려진 무술이다. 원숭이, 코끼리 그리고 심지어 오리 같은 동물들을 흉내 내는 10,000가지의 숙달해야 할 동작들이 있다. 12세기에 캄보디아를 통일한 전사의 왕인 Jayavarman 7세 왕은 그의 군대가 bokator를 훈련하도록 해서 그것을 무시무시한 전투 부대로 만들었다.
구문 풀이
• ***bokator* is a martial art depicted on the walls of Angkor Wat**: depicted 이하가 a martial art를 수식하고

있다. 무술이 벽에 '그려진' 것이므로 과거분사 depicted로 쓰였다.

해설 '사자와 싸우기'를 의미하는 무술을 이용하여 군대를 훈련시켰다고 했으므로 '무시무시한(fearsome)' 전투 부대로 만들었다는 내용이 되어야 자연스럽다.

2 **해석** 취미는 금전적 보상보다는 흥미와 즐거움을 위해 이루어진다. 어떤 것을 취미로 간주할 수 있느냐 없느냐를 결정하는 중요한 요인은 아마도 그 활동으로 생계를 유지하기가 얼마나 쉬운가라는 점일 것이다. 우표 수집으로 생계를 유지하는 사람은 거의 없지만, 많은 사람들이 우표 수집을 즐겁다고 생각한다. 따라서 우표 수집은 흔히 취미로 간주된다.

구문 풀이

- An important determinant of [what is considered a hobby] is probably how easy it is to make a living at the activity.
  (An important determinant: 주어 / [what is considered a hobby]: of의 목적어인 명사절 / is: 동사 / it: 가주어 / to make a living at the activity: 진주어)

끊어 읽기

Almost no one / can make a living / at stamp collecting, / but many people / find it enjoyable / so it is commonly regarded / as a hobby.
거의 아무도 ~않다 / 생계를 유지할 수 있다 / 우표 수집으로 / 그러나 많은 사람들이 / 그것이 즐겁다고 생각한다 / 그래서 그것은 흔히 ~로 간주된다 / 취미로

해설 취미는 흥미와 즐거움을 위해 이루어진다는 첫 문장으로 보아 우표 수집이 취미로 간주된다는 내용 앞에는 사람들이 그것을 '즐거운(enjoyable)' 일이라고 생각한다고 해야 문맥상 자연스럽다.

어휘 probably 아마도 make a living 생계를 유지하다

3 **해석** 우울증은 당신이 세상을 보는 방식을 정말로 바꾼다. 이 증상이 있는 사람들은 큰 이미지나 장면을 해석하는 것을 쉽게 생각하지만, 아주 세심하게 '차이점을 발견하는 것'은 힘겨워한다. 우울증을 겪는 사람들은 시각 기능과 연결된 신경 전달 물질인 GABA가 부족하다.

구문 풀이

- **People with the condition find it easy to interpret large images or scenes**: it은 가목적어이고 to interpret ~ scenes가 진목적어이다.

해설 ① 동사 change를 강조하기 위해 do동사를 이용하며 주어인 Depression이 단수이므로 단수형을 써야 한다. (→ does)
② 동사 find의 목적격 보어로 형용사가 알맞다.
③ a neurotransmitter와의 관계가 수동이므로 과거분사 linked가 알맞다.

4 **해석** 운하용 배를 통해 편지를 운송하는 시스템이 17세기에 네덜란드 공화국에서 발달했다. 그 서비스는 Amsterdam과 더 작은 마을들 사이뿐만 아니라 작은 마을과 또 다른 작은 마을 간에도 연락을 가능하게 만들었다. 운송과 메시지 연락 사이의 전통적인 관계가 깨진 것은 바로 전기 전신이 발명된 1837년이 되어서였다.

끊어 읽기

It was only in 1837, / with the invention of the electric telegraph, / that / the traditional link / between transport and the communication of messages / was broken.
바로 1837년이 되어서였다 / 전기 전신이 발명된 / ~한 것은 / 전통적인 관계가 / 운송과 메시지 연락 사이의 / 깨어졌다

해설 ① 문장의 본동사가 없으므로 준동사를 본동사로 고쳐야 하며, in the 17th century로 보아 과거 시제로 써야 한다. (→ developed)
② only in 1837을 강조하는 「It was ~ that」 강조 구문이다. with ~ telegraph는 삽입구이다.
③ 주어가 the traditional link이므로 단수 동사로 쓰는 것이 알맞다.

4주 누구나 100점 테스트 pp. 166~167

1 (A) vulnerable (B) dense (C) moderately
2 (A) destruction (B) lacked (C) competing
3 ① **4** ⑤

1 **해석** 젊은 사람들은 음식 선택에 있어서 또래의 영향에 취약하다. 어떤 십 대 소녀는 점심으로 그녀의 친구들이 먹고 있다는 이유로 샐러드만 먹을지도 모른다. 레슬링 팀에 들어가기를 원하는 왜소한 소년은 학교 레슬링 선수들처럼 '몸집을 크게 키우기' 위해 탄수화물과 단백질의 밀도가 높은 음식을 먹을지도 모른다. 과체중인 십 대는 친구들과 있을 땐 적당히 먹다가도 혼자 있을 때에는 많이 먹을지도 모른다.

구문 풀이

- A slim boy [who hopes to make the wrestling team] may eat foods [that are dense in carbohydrates and proteins] to 'bulk up' like the wrestlers of his school.
  ([who hopes to make the wrestling team]: 주격 관계대명사절 / [that are dense in carbohydrates and proteins]: 주격 관계대명사절 / to 'bulk up': to부정사의 부사적 용법(목적))

해설 (A) 젊은 사람들이 또래가 먹는 음식을 따라 먹는다는 내용이 이어지므로 또래의 영향에 '취약한(vulnerable)' 것이라고 해야 자연스럽다.
(B) 몸집을 크게 키우기 위해서 탄수화물과 단백질의 '밀도가 높은(dense)' 음식을 먹는다고 해야 한다.
(C) 혼자 있을 때는 많이 먹을지도 모르지만 그와 반대로 친구들과 있을 때는 '적당히(moderately)' 먹는다는 것이 적절하다.

어휘 immune 면역성이 있는 nothing but 오직 slim 왜소한 deficient 부족한 bulk up 부피가 늘다 overweight 과체중의 greedily 게걸스럽게

2 **해석** Atitlán Giant Grebe(논병아리)는 날지 못하는 큰 새였다. 1965년 무렵에는 Atitlán 호수에 약 80마리만이 남아 있었다. 한 가지 원인은 사람들이 갈대밭을 베어 넘어뜨리기 때문이었다. 이런 파괴는 빠르게 성장하는 매트 제조 산업의 필요에 의해 추진되었다. 그러나 다른 문제들이 있었다. 한 미국 항공사가 그 호수를 낚시터 휴양지로 개발하고 싶어 했다. 하지만 그 호수에는 좋은 스포츠용[낚시용] 물고기가 없었다. 그 문제를 해결하기 위해 Large-mouthed Bass(큰입농어)라 불리는 물고기가 도입되었다. 그들은 호수에 살던 작은 물고기를 먹었고, 이리하여 논병아리와 먹이를 놓고 경쟁하였다. 그들은 심지어 논병아리의 새끼들도 먹었다.

구문 풀이

- **This destruction was driven by the needs of a fast growing mat-making industry.**: 주어가 행위의 대상이므로 수동태인 「be동사+과거분사+by+행위자」로 나타낸다.
- **a fish called the Large-mouthed Bass was introduced**: 과거분사구인 called ~ Bass가 a fish를 수식한다. 물고기가 '불려지는' 것이므로 수동의 의미를 나타내는 과거분사 called를 쓴다. 또한 물고기가 '도입된' 것이므로 수동태인 「be동사+과거분사」로 나타낸다. 행위자가 일반 사람이거나 불분명할 때 「by+행위자」가 생략된다.
- **thus competing with the grebes for food**: competing 이하는 분사구문으로 thus they competed with the grebes for food로 바꿔 쓸 수 있다.

해설 (A) 갈대밭을 베는 것을 가리키는 말이므로 '파괴(destruction)'가 적절하다.
(B) 낚시터 휴양지로 개발해야 하는데 문제가 있다고 했으므로 낚시용 물고기가 '없었다(lacked)'고 하는 것이 자연스럽다.
(C) 새로 들여온 물고기가 논병아리와 먹이를 두고 '경쟁하는(competing)' 상태가 되었다고 해야 한다.

어휘 flightless 날지 못하는 cut down 베다 drive 추진하다 chick 새끼 새; 병아리

3 **해석** 어느 공무원이 번잡한 주(州) 고속도로 근처의 아파트에 살았던 어떤 사람들에 관한 놀라운 사건을 이야기한다. 그 가정들은 소음 때문에 괴로워서 시청에 항의를 했다. 시 공무원들은 아이디어를 생각해 냈다. 그들은 그 아파트 앞에 한 줄로 나무를 심었다. 그 나무들은 소음의 양(소음이 들리는 수치적 양)에는 거의 변화를 주지 못했지만, 고속도로의 모습을 차단해 주었다. 그 이후로, 그 건물에 사는 사람들에게서는 불평이 거의 나오지 않았다.

해설 ① 「make+목적어+목적격 보어」의 5형식 문장이 수동태(「목적어+be made+목적격 보어+by+행위자」)로 쓰인 문장으로 목적격 보어 자리에 형용사가 와야 한다. (→ miserable)
② the families를 지칭하므로 대명사 they가 알맞다.
③ 부사 hardly는 '거의 ~않다'라는 의미이다.
④ 동사를 강조할 때 do동사를 동사원형 앞에 쓰는데, 과거 시제이므로 did가 알맞다.
⑤ complaint는 셀 수 있는 명사이므로 few(수가 거의 없는)를 쓴다.

어휘 incident 사건 close to ~에 가까운 highway 고속도로 miserably 비참하게 row 열[줄] amount 양 block 막다, 차단하다 view 시야

4 **해석** 최면은 사람들이 더 많은 정보를 생각해 내게 하지만, 반드시 더 정확한 정보를 생각해 내게 하는 것은 아니다. 사실상, 그들이 더 많은 것들을 기억해 내게끔 하는 것은 바로 최면의 힘에 대한 사람들의 믿음일지도 모른다. 즉, 만약 사람들이 그들이 최면에 놓인 상태에서 더 잘 기억해 내야 한다고 믿으면, 그들은 최면에 빠졌을 때 더 많은 기억을 상기해 내려고 더 열심히 노력할 것이다. 안타깝게도, 그 기억이 사실인지 아닌지를 알 방법은 없다. 우리가 그 사람이 무엇을 기억해 낼 수 있어야만 하는지를 정확하게 알지 못한다면 말이다. 그러나 우리가 그것을 안다면, 애초에 최면을 사용할 필요가 없을 것이다!

구문 풀이

- Unfortunately(문장 전체를 수식하는 부사), there's no way to know(형용사적 용법) [whether the memories are true or not](명사절(know의 목적어)) — unless(만약 ~이 아니라면(if ~ not)) we know exactly [what the person should be able to remember](명사절(know의 목적어)).

끊어 읽기

In fact, / it might be people's beliefs /
사실 바로 사람들의 믿음일지도 모른다
in the power of hypnosis / that lead them /
최면의 힘에 대한 그들을 이끄는 것은
to recall more things.
더 많은 것들을 기억해 내도록

해설 ① 명사 information을 수식하는 형용사가 오는 것이 알맞다.
② 「It ~ that」 강조 구문이다.
③ to부정사가 목적을 나타내는 부사적 용법으로 쓰였다.
④ whether는 know의 목적어 역할을 하는 명사절을 이끌며 '~인지 아닌지'라는 의미이다.
⑤ 현재와 반대의 상황을 가정하는 가정법 과거 문장이므로 if절의 동사는 과거형으로 써야 한다. (→ knew)

어휘 lead (어떤 행동·생각을) 하게 하다[유도하다] come up with ~을 생각해내다[떠올리다] not necessarily 반드시 ~은 아닌 accurate 정확한 belief 믿음 recall 상기시키다 unless 만약 ~하지 않으면 exactly 정확히 in the first place 애초에

창의 • 융합 • 사고력 pp. 168~173

A **1** 고된, 힘든 **2** 일관성, 꾸준함 **3** 즉각 반응하는 **4** 자동의
B **1** Moderate **2** resistant **3** reduction **4** agreement

A **여** 오늘, 나는 내 개가 먹기 전에 기다리도록 훈련시킬 거야. 기다려, Max.
여 개를 훈련시키는 것은 시간이 오래 걸리고 힘든 일이 될 수 있어.
여 꾸준함은 성공의 비결이지. 기다려, Max!
여 내 개는 언제쯤 내 요구에 즉각 반응할까?
강아지 미안하지만 내 반응은 자동적이었어.

B **여** 적당한 운동은 네 몸에 좋아. 운동하는 것은 네 몸을 질병에 저항력이 생기도록 만들어 주거든.
남 저는 운동하는 것이 정말 싫어요. 제가 운동을 해야 한다면 저는 운동한 후에 보상으로 단 것들을 먹겠어요.
여 안 돼! 나는 단 것의 섭취를 줄이는 것을 권장해.
남 우리는 이 문제에 관해 절대 합의에 이를 수 없을 것 같군요.

C **1** scarcity **2** recognition **3** complaint **4** diversity **5** survival **6** encouragement **7** dependency **8** precision
D **1** resistant **2** identical **3** consistency **4** cooperative **5** pressure **6** disastrous
E
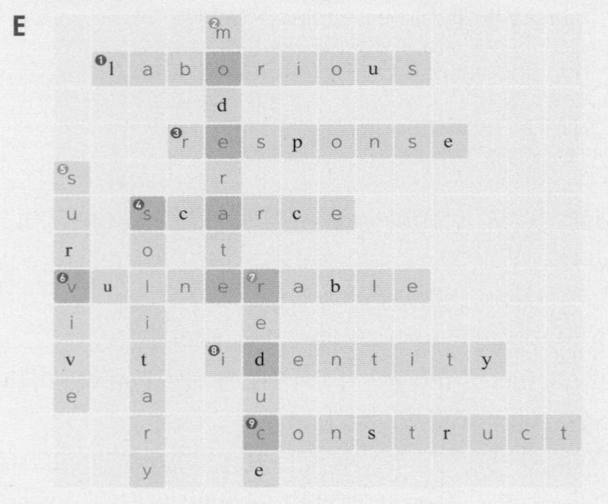
F **1** attractive **2** frequently **3** that
G **1** seems more suitable **2** had known, have forgiven
H **1** Ted **2** Ted **3** Amy **4** Amy

E **해석**

Across
❶ 시간이 오래 걸리고 노력이 많이 드는
❸ 말로 하거나 글로 쓴 답
❹ 유의어 부족한; 드문
❻ 약하고 신체적으로나 감정적으로 쉽게 상처 받는
❽ 당신의 신원은 당신이 누구인지에 관한 것이다.
❾ 집, 다리, 건물 등과 같은 것을 짓다

Down
❷ 크기, 양, 정도가 크지도 않고 작지도 않은
❹ 혼자 있는 것을 좋아하는 반의어 사교적인
❺ 계속해서 살아있거나 존재하다
❼ 크기, 양, 가격 면에서 어떤 것을 더 작게 또는 덜하게 만들다

F **1 해석** 그 심리학자는 무엇이 얼굴을 매력적으로 만드는지를 연구한다.
해설 목적격 보어로 형용사가 알맞다.

2 해석 광고가 더 자주 방송될수록 더 많은 사람에게 보일 것이다.
해설 동사 is run을 수식하므로 부사가 알맞다.

3 해석 인간은 그들의 환경의 기온보다 체온을 더 높게 유지하기 위해 많은 에너지를 써야 한다.
해설 temperature를 가리키는 말이므로 단수 that을 써야 한다.

G **1 해설** 동사 seem 다음에 오는 주격 보어로 형용사가 알맞다.

2 해설 가정법 과거완료는 「If+주어+had+과거분사 ~, 주어+조동사의 과거형+have+과거분사 …」의 형태이다.

H **1 해석** 사실, Jake는 우리의 리더가 아닌데 그는 우리의 리더처럼 행동한다. → Jake는 마치 우리의 리더인 것처럼 행동한다.
해설 as if 가정법 과거에서 be동사는 were를 쓴다.

2 해석 Sophia는 실수를 했고, 그래서 그녀는 1등 상을 탈 수 없었다. → Sophia가 실수를 하지 않았더라면 그녀는 1등 상을 탈 수 있었을 텐데.
해설 가정법 과거완료는 「If+주어+had+과거분사 ~, 주어+조동사의 과거형+have+과거분사 …」의 형태이다.

3 해석 Neil Armstrong의 대형 사진이 텔레비전 위에 있다.
해설 장소의 부사구가 문두에 오면 주어와 동사가 도치된다.

4 해석 나는 지난 크리스마스에 우리 할머니께 선물을 보내드렸다. → 내가 우리 할머니께 선물을 보내 드린 것은 바로 지난 크리스마스였다.
해설 주어나 목적어, 부사(구) 등을 강조할 때 강조하는 말을 It is[was]와 that 사이에 넣어 「It is[was] ~ that ...」 강조 구문을 쓴다. 강조되는 것이 사람인 경우에 that 대신 who를 쓸 수 있다.

Test for Week 1

01	decrease	줄(이)다, 감소하다[시키다]; 감소
02	increase	늘(리)다, 증가하다[시키다]; 증가
03	maximum	최고의, 최대의; 최대
04	minimum	최저의, 최소의; 최소
05	include	포함하다
06	exclude	제외[배제]하다
07	curable	치유 가능한
08	incurable	치유가 불가능한, 불치의
09	available	이용할[구할] 수 있는
10	unavailable	이용할[구할] 수 없는
11	attach	붙이다, 첨부하다
12	detach	떼다[분리하다], 분리되다
13	regard	~을 …로 여기다, ~을 보다; 관심, 고려
14	disregard	무시하다
15	intentional	고의적인
16	unintentional	고의가 아닌, 무심코 한
17	advantage	장점, 이점, 유리한 점
18	disadvantage	단점, 약점, 불리한 점
19	underestimate	과소평가하다
20	overestimate	과대평가하다
21	conscious	의식이 있는, 의식하는, 자각하는
22	unconscious	의식을 잃은, 의식이 없는, ~을 깨닫지 못하는
23	satisfactory	만족스러운
24	unsatisfactory	만족스럽지 못한
25	practical	실용적인, 현실적인
26	impractical	비실용적인, 비현실적인
27	certain	확신하는, 확실한
28	uncertain	확신이 없는, 불확실한
29	complicated	복잡한
30	uncomplicated	복잡하지 않은, 단순한

01	떼다[분리하다], 분리되다	detach
02	붙이다, 첨부하다	attach
03	장점, 이점, 유리한 점	advantage
04	단점, 약점, 불리한 점	disadvantage
05	만족스러운	satisfactory
06	만족스럽지 못한	unsatisfactory
07	최저의, 최소의; 최소	minimum
08	최고의, 최대의; 최대	maximum
09	복잡한	complicated
10	복잡하지 않은, 단순한	uncomplicated
11	제외[배제]하다	exclude
12	포함하다	include
13	의식이 있는, 자각하는	conscious
14	의식이 없는	unconscious
15	이용할[구할] 수 있는	available
16	이용할[구할] 수 없는	unavailable
17	실용적인, 현실적인	practical
18	비실용적인, 비현실적인	impractical
19	확신하는, 확실한	certain
20	확신이 없는, 불확실한	uncertain
21	치유 가능한	curable
22	치유가 불가능한, 불치의	incurable
23	고의적인	intentional
24	고의가 아닌, 무심코 한	unintentional
25	줄다, 감소하다; 감소	decrease
26	늘다, 증가하다; 증가	increase
27	과대평가하다	overestimate
28	과소평가하다	underestimate
29	~을 …로 여기다; 관심	regard
30	무시하다	disregard

Test for Week 2

01	mostly	주로, 일반적으로
02	attack	공격하다; 공격, 폭행
03	abstract	추상적인, 관념적인
04	separate	분리하다[되다]; 분리된, 개별적인
05	hostile	적대적인, ~에 반대하는
06	poverty	가난, 빈곤
07	unique	유일한, 독특한, 특별한
08	rarely	드물게, 좀처럼 ~하지 않는
09	abundant	풍부한, 많은
10	loosen	느슨하게 하다[되다], 풀다
11	combine	결합하다[되다], 겸하다
12	allow	허락하다, (~하는 것을) 가능하게 하다
13	insufficient	불충분한
14	weakness	약함, 약점
15	common	흔한, 공통의, 보통의; 공유지
16	concrete	구체적인, 현실의, 콘크리트로 된
17	forbid	금하다, 금지하다
18	admit	인정[시인]하다
19	beneficial	유익한, 이로운
20	deny	부인[부정]하다
21	defend	방어[수비]하다; 방어
22	harmful	해로운, 유해한
23	strength	힘, 강점, 장점
24	wealth	재산, 부
25	release	풀어 주다, 놓아 주다, 개봉하다, 발매하다
26	mental	정신적인
27	favorable	호의적인, 찬성하는, 유리한
28	physical	신체적인
29	tighten	팽팽해지다, 조여지다[조이다]
30	squeeze	(손가락으로 꽉) 짜다, (액체를) 짜(내)다; 짜냄, (소량의) 짠 즙

01	부인[부정]하다	deny
02	구체적인, 현실의	concrete
03	유익한, 이로운	beneficial
04	유일한, 독특한, 특별한	unique
05	가난, 빈곤	poverty
06	분리하다[되다]; 분리된	separate
07	풀어 주다, 놓아 주다	release
08	신체적인	physical
09	허락하다	allow
10	팽팽해지다, 조여지다	tighten
11	느슨하게 하다, 풀다	loosen
12	불충분한	insufficient
13	짜다, 짜내다	squeeze
14	결합하다[되다]	combine
15	약함, 약점	weakness
16	힘, 강점, 장점	strength
17	공격하다; 공격, 폭행	attack
18	풍부한, 많은	abundant
19	재산, 부	wealth
20	호의적인, 찬성하는	favorable
21	해로운, 유해한	harmful
22	흔한, 공통의; 공유지	common
23	좀처럼 ~하지 않는	rarely
24	금하다, 금지하다	forbid
25	적대적인, ~에 반대하는	hostile
26	추상적인, 관념적인	abstract
27	주로, 일반적으로	mostly
28	방어[수비]하다; 방어	defend
29	인정[시인]하다	admit
30	정신적인	mental

Test for Week 3

01	protect	보호하다, 보장하다
02	attraction	명소, 명물, 매력
03	evade	피하다, 회피하다, 모면하다
04	range	범위, 영역, 줄[열]; 정렬시키다, 변동하다
05	realize	깨닫다, 알아차리다, 실현하다
06	distraction	집중을 방해하는 것, 오락, 기분 전환
07	preserve	지키다, 보존하다, 저장하다
08	compliment	칭찬하다; 칭찬, 찬사
09	change	변하다, 바꾸다, 교체하다; 변화, 교체, 거스름돈
10	respective	각자의, 각각의
11	predict	예측하다
12	thorough	철저한, 순전한, 빈틈없는
13	reject	거절하다, 거부하다
14	extinct	멸종한
15	attain	달성하다, 얻다, (나이·속도에) 이르다
16	extract	뽑다, 추출하다, 인용하다; 추출물, 인용구
17	remain	여전히 ~이다, 남다
18	prospect	가망, 예상, 전망
19	underlie	~의 기초가 되다, ~의 기저에 있다
20	through	~을 통하여, ~을 지나; 통과하여, 줄곧
21	rationalize	합리화하다
22	depict	묘사하다, 그리다
23	adopt	채택[적용]하다, 입양하다
24	reflect	반사하다, 비추다, 반영하다, 숙고하다
25	undermine	약화시키다
26	evoke	(기억을) 떠올려 주다, ~을 불러일으키다
27	observe	관찰[관측]하다, 목격하다
28	adapt	적응하다[시키다], 개작[각색]하다
29	respectful	경의를 표하는, 존중하는, 공손한
30	complement	보충[보완]하다; 보완물

01	(기억을) 떠올려 주다	evoke
02	여전히 ~이다, 남다	remain
03	합리화하다	rationalize
04	~의 기초가 되다	underlie
05	채택[적용]하다, 입양하다	adopt
06	깨닫다, 실현하다	realize
07	존중하는, 공손한	respectful
08	반사하다, 반영하다	reflect
09	칭찬하다; 칭찬, 찬사	compliment
10	약화시키다	undermine
11	지키다, 보존하다	preserve
12	명소, 명물, 매력	attraction
13	집중을 방해하는 것	distraction
14	보충[보완]하다; 보완물	complement
15	묘사하다, 그리다	depict
16	범위, 영역; 정렬시키다	range
17	변하다, 바꾸다; 변화	change
18	~을 통하여; 줄곧	through
19	관찰[관측]하다, 목격하다	observe
20	멸종한	extinct
21	적응하다, 개작[각색]하다	adapt
22	보호하다, 보장하다	protect
23	철저한, 순전한, 빈틈없는	thorough
24	달성하다, 얻다, 이르다	attain
25	예측하다	predict
26	거절하다, 거부하다	reject
27	뽑다, 추출하다; 추출물	extract
28	피하다, 회피하다	evade
29	각자의, 각각의	respective
30	가망, 예상, 전망	prospect

Test for Week 4

01	press	누르다
02	identity	신원, 정체
03	complain	불평하다
04	labor	노동, 근로
05	infinite	무한한
06	moderate	보통의, 적당한
07	scarce	부족한, 드문
08	agree	동의하다, 의견이 일치하다
09	solitude	고독
10	consistent	한결같은, 일관된
11	survive	생존하다
12	precise	정확한
13	restrict	(크기·양·범위 등을) 제한[한정]하다
14	response	대답, 답장, 반응
15	resist	저항[반대]하다
16	construct	건설하다, 구성하다
17	destroy	파괴하다
18	reduce	줄이다, 줄어들다
19	regulate	규제[통제]하다, 조절하다
20	fear	공포, 두려움
21	automatic	자동의
22	support	받치다, 지탱하다, 지지[지원]하다
23	depend	의존[의지]하다
24	recognize	알아보다, 인정하다
25	disaster	재난, 재해
26	cooperate	협력하다
27	encourage	격려하다
28	prosper	번창하다
29	diverse	다양한
30	vulnerable	(~에) 취약한, 연약한
31	pressure	압박(감), 압력
32	identical	똑같은
33	complaint	불평, 불만
34	laborious	힘든, 고된
35	infinity	무한성
36	moderately	적당하게
37	scarcity	부족, 결핍
38	agreement	동의
39	solitary	혼자 하는, 혼자서 잘 지내는
40	consistency	일관성, 꾸준함
41	survival	생존
42	precision	정확(성)
43	restriction	제한, 규제
44	responsive	즉각 반응하는
45	resistant	저항력 있는, ~에 잘 견디는
46	constructive	건설적인
47	destruction	파괴, 파멸
48	reduction	감소, 축소
49	regulation	규제, 통제
50	fearsome	무시무시한
51	automatically	자동으로
52	supportive	지지하는
53	dependency	의존
54	recognition	인식, 인정
55	disastrous	처참한, 형편없는
56	cooperative	협력적인
57	encouragement	격려(가 되는 것)
58	prosperity	번창
59	diversity	다양성
60	vulnerability	취약성

앞선 생각으로
더 큰 미래를 제시하는 기업

서책형 교과서에서 디지털 교과서,
참고서를 넘어 빅데이터와 AI학습에 이르기까지
끝없는 변화와 혁신으로
대한민국 교육을 선도해 나갑니다.

정답은
이안에
있어!

배움으로 행복한 내일을 꿈꾸는

천재교육 커뮤니티 안내

교재 안내부터 구매까지 한 번에!

천재교육 홈페이지

천재교육 홈페이지에서는 자사가 발행하는 참고서, 교과서에 대한 소개는 물론 도서 구매도 할 수 있습니다. 회원에게 지급되는 별을 모아 다양한 상품 응모에도 도전해 보세요.

구독, 좋아요는 필수! 핵유용 정보 가득한

천재교육 유튜브 <천재TV>

신간에 대한 자세한 정보가 궁금하세요?
참고서를 어떻게 활용해야 할지 고민인가요?
공부 외 다양한 고민을 해결해 줄 채널이 필요한가요?
학생들에게 꼭 필요한 콘텐츠로 가득한 천재TV로 놀러 오세요!

다양한 교육 꿀팁에 깜짝 이벤트는 덤!

천재교육 인스타그램

천재교육의 새롭고 중요한 소식을 가장 먼저 접하고 싶다면?
천재교육 인스타그램 팔로우가 필수!
누구보다 빠르고 재미있게 천재교육의 소식을 전달합니다.
깜짝 이벤트도 수시로 진행되니 놓치지 마세요!